DON JUAN TENORIO

DRAMA RELIGIOSO-FANTASTICO EN DOS PARTES

BY

DON JOSÉ ZORRILLA

EDITED WITH INTRODUCTION, NOTES, AND VOCABULARY

BY

N. B. ADAMS, PH.D.
PROFESSOR OF SPANISH
UNIVERSITY OF NORTH CAROLINA

APPLETON-CENTURY-CROFTS, INC.
New York

641-10

MANUFACTURED IN THE UNITED STATES OF AMERICA

DON JUAN TENORIO

PREFACE

The desirability of making *Don Juan Tenorio* more accessible to American students seems obvious. The play deals with a legend and figure of universal literary importance and is one of the most vivid of all the treatments of the theme. It is the most popular drama written in Spain, and has become a sort of national institution, which cannot be neglected by those interested in the Spanish people and their psychology. In addition, it is not only a typical play of the Romantic period, but also a treasury of sonorous verse.

The text presented is based on the first edition (Madrid, Imprenta de Repullés, March 1844). Spelling and punctuation have been modernized and obvious misprints corrected. The separate lists of *personas* at the head of each act have been omitted. The stage direction after line 2638 and a few minor corrections have been supplied from later editions.

Lack of space has necessitated the omission of a section of the introduction dealing with Zorrilla's non-dramatic poetry. Several other sections have been considerably reduced.

The editor has endeavored to keep the needs of the student in mind. The introduction, notes, and vocabulary are directed to him rather than to the erudite. It is hoped that sufficient information has been offered to give the uninitiated a preliminary orientation in a rich and vast literary province.

To Mr. Paul B. Thomas, the editor offers his sincere thanks for aid given at various stages in the preparation of this text.

N. B. Adams

Chapel Hill, North Carolina

INTRODUCTION

BIOGRAPHICAL SKETCH OF ZORRILLA

José Zorrilla y Moral, who has been called "the spoiled darling of Spanish Romanticism," was born in Valladolid on February 21, 1817. His mother, doña Nicomedes Moral, a kindly and pious woman, lavished great affection upon her only child, perhaps as a partial compensation for the sternness of his father. The elder Zorrilla's staunch integrity and inflexible virtue were later to win for him preferment in the service of the detestable King Ferdinand VII, under whom he served for several years as Superintendent General of Police. The father was quite incapable of understanding his somewhat weak and impulsive son, and no sort of comradeship ever existed between them.

The young José lived very little with his parents after he reached the age of ten. In 1827 he entered the *Real Seminario de Nobles*, a famous school in Madrid conducted by the Jesuits and attended by the élite of Spain. Victor Hugo had been a pupil there in 1811, during the French occupation of the country. Zorrilla evinced no great love of study either then or later in his life. At the age of twelve he began to scribble verses, and his poetic tendencies were encouraged by his teachers.

Zorrilla's father was bent upon making his son a lawyer, and in 1833 José entered the University of Toledo with a legal career in view. He was supposed to be under the eye of a relative, at that time a canon of the cathedral of Toledo. The serious-minded priest grieved to find his young charge reading Romantic novels and poring over the poetry of Victor Hugo, wandering about the old city and sketching its picturesque towers and buildings, instead of applying himself to his law books.

In the autumn of 1834 the young poet transferred his activities to the University of Valladolid, the rector of which was an old friend of Zorrilla's father. Partly through the kindly help of this friend, the boy passed all of his courses in the spring of 1835, but his tutor described him as "a lazy good-for-nothing," and wrote that "he frequented graveyards at midnight like a vampire and let his hair grow out like a Cossack." Evidently Zorrilla was merely applying to his pursuits and to his personal appearance the hints contained in the Romantic novels and poems which still formed the bulk of his reading. With a group of boys of similar tastes he belonged to an association of student-poets which bore the high-sounding title of *Academia de las Letras Humanas*. In 1835 Zorrilla had the pleasure of seeing a highly melodramatic story of his own composition, as well as several poems, appear in the Madrid newspaper *El Artista*.

Alarmed by reports about his son, Zorrilla's father threatened to send him to work in the family vineyards if he failed to make a good record in his examinations. Zorrilla, knowing that his father was quite capable of carrying out the threat, feared to face the consequences of his lack of study. Accordingly, when he failed ignominiously in all of his courses, he fled to Madrid to seek his fortune in literary pursuits.

A strange chance brought him into public notice as a poet. Larra, the great critic and satirist, committed suicide in February, 1837. Zorrilla, invited by a friend to compose some verses to be read over Larra's grave, dashed them off, copied them on borrowed paper with borrowed pen and ink, secured decent clothes from various friends, and marched in the funeral procession. The poem, read in the boy's rich voice and accompanied by tears, produced a vivid impression.[1] The author was welcomed to the bosom of the literary élite and was given a position (at thirty dollars a month) on the newspaper *El Porvenir*. Thus he began a career destined to bring him great fame, if little money. He wrote poems with great ease and rapidity, so that before the end of the year he had enough for a volume; by 1840 he had published eight volumes.

During a slight illness he was nursed by a handsome widow, sixteen years his senior, named Florentina Matilde O'Reilly, whom

[1] See Zorrilla's own account in his *Recuerdos del tiempo viejo*, vol. I, chap. IV.

he professed to regard as a second mother. They were married, nevertheless, on August 22, 1839, and for a time they were moderately happy. Later doña Matilde accused her husband of infidelity, cruelty, and desertion, and he, in turn, taxed her with responsibility for all of his misfortunes. She died in 1865, when he was planning to seek a divorce.

Some of Zorrilla's early volumes of verse also contain plays, the first of them, entitled *Vivir loco y morir más*, being probably the weakest of his dramatic compositions. Two more imitations of the *Siglo de Oro* drama (*Mas vale llegar a tiempo que rondar un año* and *Ganar perdiendo*) are of considerable merit. His first play to reach the stage, *Juan Dandolo*, was written in three days in collaboration with García Gutiérrez. It was a poor play, and held the boards only two nights in June, 1839. By September of that same year Zorrilla had produced another play, entirely his own, *Cada cual con su razón*, and by March, 1840, still another, *Lealtad de una mujer*. A few days later he achieved his first real success on the stage with *El zapatero y el Rey* (*Primera parte*), certainly to be considered among his best plays.

In the ensuing nine years poems and plays flowed from his pen in rapid succession. The year 1841 marked the publication of the third volume of his *Cantos del trovador*, containing some of his best and most famous poems, and the production of the Second Part, really a separate play, of *El zapatero y el Rey*. *Don Juan Tenorio* was first performed in 1844; his last play of any account was *Traidor, inconfeso, y mártir*, produced in 1849.

In 1848 Zorrilla was elected to the Royal Spanish Academy, but he did not actually take his seat as *académico* until 1885.

Zorrilla's life after 1850 is of minor significance from the literary standpoint. He spent the years 1850–1854 mainly in Paris, making occasional expeditions to Brussels and London in pursuit of a girl (called *Leila* and *Beida* in his poems) with whom he had become infatuated. In 1854 he went to Mexico, not to return to Spain for twelve years. While abroad he published many poems, increased his debts, fell in love anew, and made various important friends, among them the Emperor Maximilian, who appointed him director of the Mexican National Theater.

Upon his return to Spain he received an enthusiastic welcome. This popular esteem culminated in his official coronation as prince of national poets in Granada in 1889. The newspapers report that, among many gifts from admirers, he received five crowns of gold and eight hundred and forty-three of laurel, and that the ceremonies were attended by sixteen thousand persons. Despite this apparent favor, the poet was always in financial straits which an official sinecure, a government pension, a sort of poetic barn-storming tour, and the publication of several works, failed to relieve.

In 1869 Zorrilla married Juana Pacheco, who did her best to make him comfortable during the increasing bad health of his later years. He died in Madrid on January 22, 1893, and the Spanish Academy bore the expense of his sumptuous funeral.

ZORRILLA'S DRAMAS

In addition to his tremendous output of lyric and narrative poems, Zorrilla found time to compose more than two dozen plays, most of them between 1839 and 1849. They are of very uneven merit, varying from the theatrically impossible to the most popular Spanish play of modern times. Spanish history or legend forms the basis of most of them; like his lyric poems, they are generally lacking in profundity of thought, but full of sonorous verse, rapid action, and striking color. The heroes are impetuous, gallant suitors, jealous of reputation and honor; the heroines ineffably sweet, pure, and unselfish. Zorrilla does not hesitate to transgress verisimilitude in order to produce vigorous contrasts and startling effects, even by melodramatic means. These traits connect him with the great dramatists of the *Siglo de Oro;* his exuberance, his intense *españolismo,* even his exaggerations, are not too distant reminders of the earlier masters, though he lacks Lope's gift for characterization, Tirso's insight into the feminine heart, Calderón's sublimity, and Alarcón's incisive wit.

For convenience, Zorrilla's plays may be considered in three groups. The first, not unnaturally, contains a number of imitations of the *Siglo de Oro* drama. For example, *La mejor razón la espada* is a mere adaptation, with very few changes, of Moreto's *Las travesuras de Pantoja. Lealtad de una mujer y aventuras de una noche* deals with the melancholy career of the Prince of Viana. Other plays closely resembling the seventeenth-century dramas are *Cada cual con su razón, Más vale llegar a tiempo que rondar un año, Ganar perdiendo* and *Entre clérigos y diablos. El diluvio universal* is a spectacular drama, probably based on some previous religious play.

A relatively unimportant group of Zorrilla's dramatic compositions is formed by what may be called his neo-classic tragedies: *Sofronia* and *La copa de marfil.* The subject of the former is taken from Roman history; the latter deals with the legend of Rosamund, who was forced to drink from her slain father's skull. *Sancho García* was called by the author a "composición trágica."

The greater number of Zorrilla's plays, and the most important of them, are Romantic dramas, regularly based on medieval Spanish history and tradition. While not direct imitations, they are similar in tone and spirit to the plays of Spain's seventeenth-century writers. They differ from the *Siglo de Oro* dramas as the nineteenth century differs from the seventeenth; the latter exhibits less devotion to the ideal of absolute monarchy, less reverence for the sovereign, and even greater individualism, fewer moral inhibitions, and less devotion, not necessarily to religion, but to the Catholic Church as a national institution. In minor matters, also, there are differences. Almost all of the *Siglo de Oro* dramas, with the exception of the *autos sacramentales*, were in three acts, whereas the number of acts in Zorrilla's plays varies from one to seven. The *gracioso*, or funny man, who seems almost as essential to the seventeenth-century plays as Sancho Panza does to Don Quixote, is absent as a typical figure in the productions of Zorrilla and his contemporaries.

Only the more important of Zorrilla's Romantic dramas can be mentioned here. His first great success, as already stated, came with the presentation of *El zapatero y el Rey* (*Primera parte*),[1] the central figure of which is Peter I of Castile. As in the drama of the *Siglo de Oro*, Peter is presented not as "the Cruel," the title by which he is generally known in history, but as *Pedro el Justiciero*, the king who takes the part of his humble subjects against the oppression of the nobility. This play renews the legend treated by Hoz y Mota (1622–1714) in his play *El montañés Juan Pascual*, and by the Duke of Rivas in his ballad *Una antigualla en Sevilla*.[2]

Zorrilla won a greater success the next year with a drama to which he gave the same title, *El zapatero y el Rey* (*Parte segunda*). While not intrinsically a better play, it won more fame by its thirty-odd performances in the Teatro de la Cruz. It also shows

[1] See *Recuerdos*, Vol. I, p. 59 ff.

[2] Alonso Cortés, *Zorrilla*, I, pp. 313 ff., and J. R. Lomba, *El rey Don Pedro en el teatro* in *Homenaje a Menéndez y Pelayo*, Madrid, 1899.

many similarities to the above-mentioned drama of Hoz y Mota, though the plots are by no means identical.

El puñal del godo, a one-act play which achieved great success, was written in December, 1842, though not performed until March 7 of the next year. Zorrilla has left a picturesque, though probably inaccurate, account of his having written the play, on a wager, within twenty-four hours.[1] The plot deals with Roderick, the last of the Goths. Zorrilla probably secured his idea from the *David perseguido* of Cristóbal de Lozano (c. 1618–c. 1660), which furnished him with suggestions for many of his plays, and not from Southey's *Roderick*.[2] *La calentura* (1847), also in one act, continues the legend.

The poet's great success on the stage came, as has been said, in 1844 with the presentation of *Don Juan Tenorio*, which will be treated more in detail further on.

Zorrilla's last important drama, *Traidor, inconfeso, y mártir*, was shown in 1849.[3] Thereafter he ceased writing for the stage, he tells us, because of his wife's jealousy of the Madrid actresses. Among his numerous dramas, his own favorite was *Traidor, inconfeso, y mártir*, which shows more careful workmanship than any of the others; while it never attained the popularity of *Don Juan Tenorio*, in reality it is a much better play. The story, previously used in *El pastelero de Madrigal*, probably by Jerónimo de Cuéllar (c. 1650), deals with a famous pastry cook of Madrigal who sought to pass as King Sebastian of Portugal, and who was tried and hanged in 1595. Zorrilla's sources were probably the *Historia de España*, of Alcalá Galiano, the anonymous *Historia de Gabriel de Espinosa* and Escosura's novel, *Ni rey ni roque* (1835).

[1] *Recuerdos*, I, pp. 115–119.

[2] See Alonso Cortés, *Zorrilla*, I, p. 375, note 2. For legend of Roderick, see Juan M. Pidal, *Leyendas del último rey godo*, and Menéndez y Pelayo, *Prólogo* to Lope's *Obras*, Tomo VII.

[3] *Recuerdos*, I, chap. XX, pp. 201 ff.

DON JUAN

If one were to select four great characters in the world's literature, it is not unlikely that the choice would be Hamlet, Faust, Don Quixote, and Don Juan. Of these, Don Juan has enjoyed the greatest number of literary reincarnations, and his vigorous figure seems to exert a perpetual attraction. He has already appeared in literature more than a hundred times, and the writers of the future will scarcely be able to do without him. It is not unnatural that a large amount of study and some learned controversy has been engaged in to establish his primitive home. The Italian critic Farinelli has endeavored to cradle him in Italy; the Frenchman Gendarme de Bévotte has suggested that his popularity, at least, is due to the fact that Molière happened to use him as a subject. At all events, the first great literary presentation of Don Juan came with *El Burlador de Sevilla*, a play first published in 1630 and attributed to Tirso de Molina. There is little reason to deny his authorship, although the date of the play's composition is doubtful. Said-Armesto places it among the earliest of Tirso's plays, perhaps before 1607; Gendarme de Bévotte around 1627.

Attempts that have been made to discover an historical Don Juan, or at least to connect him with some celebrated libertine, such as King Peter the Cruel, have thus far failed. Such names as Tenorio, Ulloa, and others used in Tirso's play are actual family names, and their bearers distinguished themselves in the fourteenth century and later; but they cannot be twisted to serve as the originals of Tirso's *dramatis personae.* While libertines have existed in abundance at all periods, none has yet been discovered whose exemplary punishment could serve as a basis for Tirso's theological drama; for this spectacular punishment by supernatural powers is a very important element in the legend, and was the feature that gave point to *El Burlador*.

But even if no authentic Don Juan has been found in history, certain literary antecedents for *El Burlador* may be suggested, namely:

(1) A legend current in the folk-lore of Spain, France, Italy, Germany, Denmark, Iceland, and other regions which sketches the invitation given by a libertine to a skull or skeleton or statue to supper, and the punishment, or perhaps only a warning, to the libertine. Five Spanish ballads and various stories on this theme are cited by Said-Armesto,[1] who says of them: "I do not deem it rash to affirm that the Spanish ballads contain, though in highly schematic, incipient, and crude form, the most significant characteristics of the type which Tirso was later to perpetuate." (2) Plays and stories containing young noblemen of violent amorous appetites, rebels against authority, religion, and morality. The plays of Lope and his contemporaries and predecessors exhibit many such types. (3) Legends of statues which come to life and even execute vengeance upon the living who insult them. Such legends were known in antiquity, but Lope has a play, *Dineros son calidad*, which could easily give Tirso suggestions for his *convidado de piedra* episode. Tirso makes a radical change, however, for in *Dineros son calidad* the hero Octavio, in insulting the statue of King Henry, is seeking to avenge a wrong. A statue comes to life also in Mira de Amescua's *El negro del mejor amo.*

Whatever the sources of *El Burlador* may have been, it is a profoundly original drama, for the author combines and molds the scattered fragments of his material into an artistic whole which is one of the great conceptions of literature.

ZORRILLA'S *DON JUAN TENORIO*

Zorrilla's own "cuatro palabras sobre mi *Don Juan Tenorio*" are well worth reading.[2] The actor Carlos Latorre, returning to the Teatro de la Cruz in February, 1844, found himself without a play. Zorrilla had nothing in mind, but time was pressing,

[1] See bibliography; Menéndez Pidal collected nine more ballads.
[2] *Recuerdos*, I, pp. 162–180.

for the theater would close in April. He had won a success by making an adaptation of Moreto's *Las travesuras de Pantoja*, and the idea occurred to him of dealing in the same manner with *El Burlador de Sevilla.* Accordingly, he obligated himself to produce a Don Juan in twenty days, and on a sleepless night began writing at random; the drama actually did take form within three weeks. It was first performed on March 28, 1844, and was received with applause though not with enthusiasm. The *Revista de Teatros* for March 30 said: "Su éxito ha sido satisfactorio, no brillante." [1] On the whole, the reviews were decidedly favorable. It was not until later that the play became a sort of national institution. Zorrilla said of it: "Mi *Don Juan* produce un puñado de miles de duros anuales a sus editores, y mantengo con él en la primera quincena de noviembre a todas las compañías de verso en España (y América)." [2] This popularity continues at the present day: the play is still shown to crowded theaters every year around All Souls' Day, not only in Madrid, but throughout Spain and the Spanish world.

Don Juan Tenorio has been translated into French, German, Italian (twice into each of these languages) Portuguese, and Catalan. An adaptation by Mrs. Cunninghame-Graham was produced in 1900 in London, where it was coldly received.

Zorrilla was accustomed to speak bitterly of this play, for he reaped none of the golden harvest which it yielded. He sold the rights of publication, and of presentation except in Madrid, to the publisher Delgado for forty-two hundred *reales* (a *real* now represents about five cents).[3] Later, he speaks of having received from it twelve thousand *reales*.[4] It may be observed that it had long been the custom for authors to sell their productions outright, and not to receive royalties. The sum which Zorrilla received was not small as judged by the custom of the times.

Zorrilla plainly says that when he wrote *Don Juan Tenorio* he knew only *El Burlador* of Tirso (by a slip he attributes it to Moreto)

[1] See N. Alonso Cortés, *Zorrilla*, I, p. 413.
[2] Zorrilla, *Recuerdos* I, pp. iii, 168.
[3] See his contract, published in N. Alonso Cortés, *op. cit.*, p. 411.
[4] See Zorrilla, *Recuerdos* II, Apéndices, p. 381.

and the "wretched adaptation of it," entitled *No hay plazo que no se cumpla,* which Zorrilla attributes to Solís. He probably means Zamora. "As ignorant as I was rash, I attacked that magnificent theme, without knowing either *Le festin de Pierre* of Molière, or the precious libretto of Abbé da Ponte, or, in short, anything of what had been written in Germany, France, and Italy on the immense idea of sacrilegious libertinism personified in one man: Don Juan." [1] Despite this statement, Zorrilla certainly knew and utilized the elder Dumas' play *Don Juan de Marana,* and perhaps other works.

Many critics have been harsh in their judgments of *Don Juan Tenorio,* but none quite so harsh as Zorrilla himself. He thus summarizes his opinion: "I believe therefore that my Don Juan is the greatest nonsense (*disparate*) ever written. . . ." There can be no doubt that it is full of exaggerations, melodramatic improbabilities, and technical faults. The end, with its false glamor, seems like a magician's trick, and shocks both the moralist and the artist. However, there must be something in the play which still impels tens of thousands to see it every year. It is based upon a legend, centuries old, in which Spain takes no little pride. This legend, though treated more consistently and more artistically in Spain and elsewhere, has never been dealt with more spiritedly. Zorrilla's glamorous hero has a dash, a verve, an overflowing energy, and infinite confidence in himself which make him superhuman. His boldness, his frankness, and his seductive charm are envied by those who see him swagger across the stage. It has often been remarked that every Spaniard likes to think of himself as Don Juan, invincible to man, irresistible to woman. The moral of the play is very attractive: be as wicked as you like, God's mercy is infinite, and the pure love of some Inés will redeem your soul even after death.

Many who could not bear the exaggeration of the play if it were written in prose are bewitched by the magic of its verse. This may not be delicate or subtle, but it is infinitely melodious. Such verse, indeed, could save a far worse play.

[1] *Recuerdos,* I, p. 163.

SPANISH VERSIFICATION

For a useful treatment of Spanish prosody the student is referred to J. D. M. Ford's *A Spanish Anthology* (Boston, 1901, 1917), or Hills' and Morley's *Modern Spanish Lyrics* (New York, 1913). Only the most rudimentary comments can be made here on the verse-forms contained in *Don Juan Tenorio.*

The basis of the meters commonly employed in Spanish poetry is the number of syllables in the line, whereas in English it is the number of feet and a fixed succession of accents. In a Spanish verse, if one word ends in a vowel, and the next begins with another, the two vowels are generally (though not invariably) combined to form one syllable. The same may be true when more than two vowels come together; it is possible to have five vowels forming one syllable. The rules for such combinations, and for combinations of vowels within words, are too complicated to permit of brief treatment.

In counting syllables in a verse, it is customary to count one syllable after the last stress (not necessarily a written accent). This final syllable may be lacking, or it may be that there are two instead of one; but, in either case, the count allows for one syllable. Thus, the following verses from *Don Juan Tenorio* are all called octosyllabic:

¡ Cuál gritan esos malditos! (v. 1).
A sus manos a parar (v. 42).
Entonces de un tajo rájale (v. 1140).

The following verse-forms occur in this play:

Romance: one of the most frequent of Spanish meters, the one employed in the ballads. As printed in the drama, the lines are of eight syllables, with assonance in the alternate lines (2, 4, 6, etc. but not 1, 3, 5, etc.). Assonance is rhyme of the vowels but not consonants: e.g.,

See a pin and pick it *u*p
All that day you'll have good l*u*ck.

Frequently not only the final accented vowels of alternate lines are identical, but the final unaccented as well. E.g. (Act I, scene ix) apuesta — Centellas. One would thus say that the assonance scheme is é–a.

Redondilla: a stanza of four octosyllabic lines, with rhyme scheme ordinarily a b b a. The rhyme is sometimes a b a b.

Quintilla: a stanza of five octosyllabic lines, with two rhymes, so arranged that not more than two successive lines rhyme: a b a b b , a b b a b, etc.

Décima (or *espinela*)*:* a stanza of ten octosyllabic lines, with four rhymes. It should not be considered as two quintillas, for there should be a pause at the end of the fourth line. The commonest rhyme scheme is a b b a a c c d d c.

Ovillejos, or *séptima real:* the name usually refers to a highly artificial metrical combination of three octosyllabic lines, each followed by a *pie quebrado*, or short line of not more than five syllables, and concluding with a *redondilla.* The last line of the *redondilla* must be composed of the three *pies quebrados.* Zorrilla says of the *ovillejo* (*Recuerdos*, I, p. 164): ". . . it is the most forced and falsest metrical scheme with which I am acquainted." (On the following metrical analysis, an *ovillejo* is counted as ten lines, as it is printed, and not as seven).

Eleven syllable lines (*endecasílabos*), imported from Italy in the fifteenth century, were thereafter used by Spanish poets in various combinations. In Part II, Act III, Scene i, Zorrilla uses quatrains (*cuartetos*) of hendecasyllables, with rhyme scheme a b a b and some a b b a.

Octavilla italiana: an octave of lines shorter than hendecasyllables is generally called an *octavilla.* The *octava* and the *octavilla italiana* were by no means the only stanza forms imported from Italy, though their names might so imply. Various rhyme schemes might be employed. The scheme used by Zorrilla is a b b c d e e c. Such an octave is sometimes called *octava*(*octavilla*) *bermudina.*

METRICAL ANALYSIS OF *DON JUAN TENORIO*

Parte I^ra

ACT I

Verses 1–72	Redondillas
" 73–102	Quintillas
" 103–254	Redondillas
" 255–379 (v. 348 is extra)	Romance (é–a)
" 380–439	Redondillas
" 440–694	Quintillas
" 695–834	Redondillas

ACT II

Verses 835–1140 (vv. 1119–20 are loose)	Redondillas
" 1141–1200	Ovillejos
" 1201–1248	Redondillas
" 1249–1344	Octavillas
" 1345–1364	Redondillas
" 1365–1424	Ovillejos
" 1425–1432	Redondillas

ACT III

Verses 1433–1546	Romance (é)
" 1547–1646	Redondillas
" 1647–1730	Octavillas and redondillas
" 1731–1770	Redondillas (a b a b)
" 1771–1776	(sc. iv) 6 eight syllable vv., a b a b a b
" 1777–1796	Quintillas
" 1797–1908	Redondillas

ACT IV

Verses 1909–2024	Romance, (á)
" 2025–2172	Redondillas
" 2173–2222	Décimas
" 2223–2446	Redondillas
" 2447–2562	Romance (é)
" 2563–2638	Redondillas

2da Parte

ACT I

Verses 2639–2922	Redondillas
" 2923–3112	Décimas
" 3113–3216	Redondillas
" 3217–3226	Quintillas

ACT II

Verses 3227–3490	Redondillas
" 3491–3510	Décimas
" 3511–3598	Redondillas

ACT III

Verses 3599–3642	Cuartetos, endecasílabos
" 3643–3726	Redondillas
" 3727–3736	Quintillas
" 3737–3764	Redondillas
" 3765–3814	Décimas

BIBLIOGRAPHICAL NOTE

There is no complete edition of Zorrilla's works. Various poems and twenty-nine plays will be found in the so-called *Obras completas de don José Zorrilla*, Madrid, Delgado, 1895, 1905, 1917, 4 vols.

On Zorrilla:

By far the most extensive and valuable study of the poet is:

ALONSO CORTÉS, N., *Zorrilla, su vida y sus obras*, 3 vols., Valladolid, 1916–1918–1920.

ALONSO CORTÉS, N., *En torno a Zorrilla.* In *Anotaciones literarias*, Valladolid, 1921.

ALCALÁ GALIANO Y VALENCIA, E., *Necrología del poeta Zorrilla.* Madrid, 1903.

BLANCO GARCÍA, PADRE FR. DE, *La literatura española en el siglo XIX.* Vol. I, Madrid, 1909, pp. 197–216.

IBÁÑEZ, D., *Zorrilla, poeta dramático.* In *La Ciudad de Dios*, 1922, CXXXI; id., *Zorrilla, poeta legendario, La Ciudad de Dios*, 1926, CXLV.

PIÑEYRO, E., *El romanticismo en España*, Paris, 1904, pp. 169–198.

RAMÍREZ ÁNGEL, E., *Biografía anecdótica de José Zorrilla.* Madrid, 1917.

VALBUENA, A. DE, *José Zorrilla: Estudio crítico-biográfico.* Madrid, 1889.

ZORRILLA, JOSÉ, *Recuerdos del tiempo viejo.* 3 vols. Vol. I, Barcelona, 1880; Vols. II and III, Madrid, 1882. Very picturesque, though not entirely trustworthy.

On the Don Juan Legend and *Don Juan Tenorio:*

The most extensive study of the subject is:

GENDARME DE BÉVOTTE, G., *La légende de Don Juan.* Paris, 1906. Contains a large bibliography.

GENDARME DE BÉVOTTE, G., *La légende de Don Juan*, Paris, 1911. An abridgment of the preceding, though in two volumes. At the end of

Vol. II is a list which, though incomplete, contains the names of more than one hundred works using Don Juan as a subject.

BOELTE, J., *Ueber den Ursprung der Don Juan-Sage.* In *Zeitschrift für vergleichende Litteraturgeschichte*, Berlin, 1899, XIII, pp. 134–398.

CASTRO, A., *Don Juan en la literatura española.* In *Conferencias del año 1923*, pp. 145–168. Buenos Aires, Imprenta del Jockey Club, 1924.

FARINELLI, A., *Don Giovanni.* In *Giornale storico della letteratura italiana*, 1896, pp. 1–77 and 254–326.

FARINELLI, A., *Cuatro palabras sobre Don Juan.* In *Homenaje a Menéndez y Pelayo*, Madrid, 1899, pp. 205–222.

FITZ-GERALD, THOS., *Some notes on the Sources of Zorrilla's "Don Juan Tenorio."* In *Hispania* (California), 1922, V, pp. 1–7.

FUA, F., *Don Giovanni attraverso le letterature spagnuola e italiana.* Turin, 1921.

IBÁÑEZ, D., El *"Don Juan Tenorio"* de Zorrilla. In *La Ciudad de Dios*, 1921–, CXXIV, CXXV, CXXVI, CXXVIII.

LAFORA, G. R., *Don Juan, los milagros y otros ensayos.* Madrid, 1927.

MAEZTU, R. DE, *Don Quijote, Don Juan y la Celestina. Ensayos en simpatía.* Madrid, 1926, pp. 121–180.

MENÉNDEZ PIDAL, R., *Sobre los orígenes de "El Convidado de Piedra."* In *Estudios literarios*, Madrid, 1920, pp. 105–136.

RANK, O., *Die Don Juan Gestalt.* Vienna, 1924.

SAID-ARMESTO, V., *La leyenda de Don Juan.* Madrid, 1908.

SCHROEDER, T., *Die dramatischen Bearbeitungen der Don Juan-Sage.* Halle, 1912.

WAXMAN, S. M., *The Don Juan Legend in Literature.* In *Journal of American Folk-Lore*, 1908, XXI.

AL SEÑOR

D. FRANCISCO LUIS DE VALLEJO

EN PRENDA DE BUENA MEMORIA

SU MEJOR AMIGO

JOSÉ ZORRILLA

MADRID.—MARZO DE 1844.

DON JUAN TENORIO

PERSONAJES DE TODO EL DRAMA

Don Juan Tenorio
Don Luis Mejía
Don Gonzalo de Ulloa, *Comendador de Calatrava*
Don Diego Tenorio
Doña Inés de Ulloa
Doña Ana de Pantoja
Christófano Buttarelli
Marcos Ciutti
Brígida
Pascual
El Capitán Centellas
Don Rafael de Avellaneda
Lucía
La Abadesa de las Calatravas de Sevilla
La Tornera de ídem
Gastón
Miguel
Un Escultor
Alguaciles 1.° y 2.°
Un Paje (*que no habla*)
La estatua de Don Gonzalo (*él mismo*)
La sombra de Doña Inés (*ella misma*)

Caballeros sevillanos, encubiertos, curiosos, esqueletos, estatuas, ángeles, sombras, justicia y pueblo

La acción en Sevilla por los años de 1545, últimos del emperador Carlos V. Los cuatro primeros actos pasan en una sola noche. Los tres restantes, cinco años después y en otra noche.

PRIMERA PARTE

ACTO PRIMERO

LIBERTINAJE Y ESCÁNDALO

Hostería de Christófano Buttarelli. — Puerta en el fondo que da a la calle; mesas, jarros y demás utensilios propios de semejante lugar.

ESCENA PRIMERA

DON JUAN, *con antifaz, sentado a una mesa escribiendo;* CIUTTI *y* BUTTARELLI, *a un lado esperando. Al levantarse el telón, se ven pasar por la puerta del fondo máscaras, estudiantes y pueblo con hachones, músicas, etc.*

DON JUAN ¡ Cuál gritan esos malditos !
Pero ¡ mal rayo me parta
si, en concluyendo la carta,
no pagan caros sus gritos !
(*Sigue escribiendo.*)

BUTTARELLI (*A Ciutti.*)
Buen Carnaval.

CIUTTI (*A Buttarelli.*)
Buen agosto
para rellenar la arquilla.

BUTTARELLI ¡ Quiá ! Corre ahora por Sevilla
poco gusto y mucho mosto.
Ni caen aquí buenos peces,
que son casas mal miradas

por gentes acomodadas,
y atropelladas a veces.

CIUTTI — Pero hoy . . .

BUTTARELLI — Hoy no entra en la cuenta,
Ciutti; se ha hecho buen trabajo.

CIUTTI — ¡ Chito ! Habla un poco más bajo,
que mi señor se impacienta
pronto.

BUTTARELLI — ¿ A su servicio estás ?

CIUTTI — Ya ha un año.

BUTTARELLI — Y ¿ qué tal te sale ?

CIUTTI — No hay prior que se me iguale;
tengo cuanto quiero, y más.
Tiempo libre, bolsa llena,
buenas mozas y buen vino.

BUTTARELLI — ¡ Cuerpo de tal, qué destino !

CIUTTI (*Señalando a D. Juan.*)
Y todo ello a costa ajena.

BUTTARELLI — Rico, ¿ eh ?

CIUTTI — Varea la plata.

BUTTARELLI — ¿ Franco ?

CIUTTI — Como un estudiante.

BUTTARELLI — Y ¿ noble ?

CIUTTI — Como un infante.

BUTTARELLI — Y ¿ bravo ?

CIUTTI — Como un pirata.

BUTTARELLI — ¿ Español ?

CIUTTI — Creo que sí.

BUTTARELLI — ¿ Su nombre ?

CIUTTI — Lo ignoro en suma.

BUTTARELLI — ¡ Bribón ! Y ¿ dónde va ?

CIUTTI — Aquí.

BUTTARELLI — Largo plumea.

CIUTTI — Es gran pluma.

BUTTARELLI — Y ¿ a quién mil diablos escribe
tan cuidadoso y prolijo ?

CIUTTI — A su padre.

BUTTARELLI ¡ Vaya un hijo !
CIUTTI Para el tiempo en que se vive,
es un hombre extraordinario;
Mas silencio.
DON JUAN (*Cerrando la carta.*)
Firmo y plego.
¿ Ciutti ?
CIUTTI Señor.
DON JUAN Este pliego
irá, dentro del Horario
en que reza doña Inés,
a sus manos a parar.
CIUTTI ¿ Hay respuesta que aguardar ?
DON JUAN Del diablo con guardapiés
que la asiste, de su dueña,
que mis intenciones sabe,
recogerás una llave,
una hora y una seña;
y más ligero que el viento,
aquí otra vez.
CIUTTI Bien está. (*Vase.*)

ESCENA II

DON JUAN *y* BUTTARELLI

DON JUAN Christófano, vieni quà.
BUTTARELLI ¡ Eccellenza !
DON JUAN Senti.
BUTTARELLI Sento.
Ma hò imparato il castigliano,
se è più facile al signor
la sua lingua . . .
DON JUAN Sí, es mejor;
lascia dunque il tuo toscano,

y dime: don Luis Mejía,
¿ ha venido hoy?

BUTTARELLI Excelencia,
no está en Sevilla.

DON JUAN Su ausencia,
¿ dura en verdad todavía?

BUTTARELLI Tal creo.

DON JUAN Y ¿ noticia alguna
no tenéis de él?

BUTTARELLI ¡ Ah! Una historia
me viene ahora a la memoria
que os podrá dar . . .

DON JUAN ¿ Oportuna
luz sobre el caso?

BUTTARELLI Tal vez.

DON JUAN Habla, pues.

BUTTARELLI (*Hablando consigo mismo.*)
No, no me engaño;
esta noche cumple el año,
lo había olvidado.

DON JUAN ¡ Pardiez!
¿ Acabarás con tu cuento?

BUTTARELLI Perdonad, señor; estaba
recordando el hecho.

DON JUAN Acaba,
¡ vive Dios! que me impaciento.

BUTTARELLI Pues es el caso, señor,
que el caballero Mejía
por quien preguntáis, dió un día
en la ocurrencia peor
que ocurrírsele podía.

DON JUAN Suprime lo al hecho extraño;
que apostaron me es notorio,
a quién haría en un año,
con más fortuna, más daño,
Luis Mejía y Juan Tenorio.

BUTTARELLI La historia sabéis.

DON JUAN
Entera;
por eso te he preguntado
por Mejía.

BUTTARELLI
¡ Oh ! Me pluguiera
que la apuesta se cumpliera,
que pagan bien y al contado.

DON JUAN
Y ¿ no tienes confianza
en que don Luis a esta cita
acuda ?

BUTTARELLI
¡ Quiá ! Ni esperanza;
el fin del plazo se avanza,
y estoy cierto que maldita
la memoria que ninguno
guarda de ello.

DON JUAN
Basta ya.
Toma.

BUTTARELLI
Excelencia, ¿ y de alguno
de ellos sabéis vos ?

DON JUAN
Quizá.

BUTTARELLI
¿ Vendrán, pues ?

DON JUAN
Al menos uno;
mas por si acaso los dos
dirigen aquí sus huellas,
el uno del otro en pos,
tus dos mejores botellas
prevénles.

BUTTARELLI
Mas . . .

DON JUAN
¡ Chito ! . . . Adiós.

ESCENA III

BUTTARELLI

¡ Santa Madona ! De vuelta
Mejía y Tenorio están
sin duda . . . , y recogerán

los dos la palabra suelta.
¡ Oh ! Sí; ese hombre tiene traza
de saberlo a fondo.
(*Ruido dentro.*)
Pero
¿ qué es esto ?
(*Se asoma a la puerta.*)
¡ Anda ! ¡ El forastero
está riñendo en la plaza !
¡ Válgame Dios ! ¡ Qué bullicio !
¡ Cómo se le arremolina
chusma . . . , y cómo la acoquina
él solo ! . . . ¡ Puf ! ¡ Qué estropicio !
¡ Cuál corren delante de él !
No hay duda; están en Castilla
los dos, y anda ya Sevilla
toda revuelta. ¡ Miguel !

ESCENA IV

BUTTARELLI *y* MIGUEL

MIGUEL ¿ Che comanda ?
BUTTARELLI Presto, qui
servi una tavola, amico;
e del Lacryma più antico,
porta due bottiglie.
MIGUEL Sì,
signor padron.
BUTTARELLI ¡ Micheletto,
apparecchia in carità
il più ricco, che si fa,
afrettati !
MIGUEL Già mi afretto,
signor padrone. (*Vase.*)

ESCENA V

BUTTARELLI *y* D. GONZALO

DON GONZALO Aquí es.
¿ Patrón ?
BUTTARELLI ¿ Qué se ofrece ?
DON GONZALO Quiero
hablar con el hostelero.
BUTTARELLI Con él habláis; decid, pues.
DON GONZALO ¿ Sois vos ?
BUTTARELLI Sí; mas despachad,
que estoy de priesa.
DON GONZALO En tal caso,
ved si es cabal y de paso
esa dobla, y contestad.
BUTTARELLI ¡ Oh, excelencia !
DON GONZALO ¿ Conocéis
a don Juan Tenorio ?
BUTTARELLI Sí.
DON GONZALO Y ¿ es cierto que tiene aquí
hoy una cita ?
BUTTARELLI ¡ Oh ! ¿ Seréis
vos el otro ?
DON GONZALO ¿ Quién ?
BUTTARELLI Don Luis.
DON GONZALO No, pero estar me interesa
en su entrevista.
BUTTARELLI Esta mesa
les preparo; si os servís
en esotra colocaros,
podréis presenciar la cena
que les daré . . . ¡ Oh ! Será escena
que espero que ha de admiraros.
DON GONZALO Lo creo.
BUTTARELLI Son, sin disputa,

los dos mozos más gentiles
de España.

DON GONZALO — Sí, y los más viles
también.

BUTTARELLI — ¡ Bah ! Se les imputa
cuanto malo se hace hoy día;
mas la malicia lo inventa,
pues nadie paga su cuenta
como Tenorio y Mejía.

DON GONZALO — ¡ Ya !

BUTTARELLI — Es afán de murmurar,
porque conmigo, señor,
ninguno lo hace mejor,
y bien lo puedo jurar.

DON GONZALO — No es necesario; mas . . .

BUTTARELLI — ¿ Qué ?

DON GONZALO — Quisiera yo ocultamente
verlos, y sin que la gente
me reconociera.

BUTTARELLI — A fe,
que eso es muy fácil, señor.
Las fiestas de Carnaval,
al hombre más principal
permiten, sin deshonor
de su linaje, servirse
de un antifaz, y bajo él,
¿ quién sabe, hasta descubrirse,
de qué carne es el pastel ?

DON GONZALO — Mejor fuera en aposento
contiguo . . .

BUTTARELLI — Ninguno cae
aquí.

DON GONZALO — Pues entonces, trae
el antifaz.

BUTTARELLI — Al momento.

ESCENA VI

DON GONZALO

No cabe en mi corazón
que tal hombre pueda haber,
y no quiero cometer
con él una sinrazón.
Yo mismo indagar prefiero
la verdad . . . ; mas, a ser cierta
la apuesta, primero muerta
que esposa suya la quiero.
No hay en la tierra interés
que si la daña me cuadre;
primero seré buen padre,
buen caballero después.
Enlace es de gran ventaja,
mas no quiero que Tenorio
del velo del desposorio
la recorte una mortaja.

ESCENA VII

DON GONZALO *y* BUTTARELLI, *que trae un antifaz*

BUTTARELLI Ya está aquí.
DON GONZALO Gracias, patrón;
¿ tardarán mucho en llegar ?
BUTTARELLI Si vienen, no han de tardar;
cerca de las ocho son.
DON GONZALO ¿ Esa es hora señalada ?
BUTTARELLI Cierra el plazo, y es asunto
de perder quien no esté a punto
de la primer campanada.
DON GONZALO Quiera Dios que sea una chanza,
y no lo que se murmura.

BUTTARELLI No tengo aún por muy segura
de que cumplan, la esperanza;
pero si tanto os importa
lo que ello sea saber,
pues la hora está al caer,
la dilación es ya corta.

DON GONZALO Cúbrome, pues, y me siento.

(*Se sienta en una mesa a la derecha, y se pone el antifaz.*)

BUTTARELLI (*Aparte.*)
Curioso el viejo me tiene
del misterio con que viene . . . ,
y no me quedo contento
hasta saber quién es él.

(*Limpia y trajina, mirándole de reojo.*)

DON GONZALO (*Aparte.*)
¡ Que un hombre como yo tenga
que esperar aquí, y se avenga
con semejante papel !
En fin, me importa el sosiego
de mi casa, y la ventura
de una hija sencilla y pura,
y no es para echarlo a juego.

ESCENA VIII

DON GONZALO, BUTTARELLI *y* D. DIEGO *a la puerta del fondo*

DON DIEGO La seña está terminante,
aquí es; bien me han informado;
llego pues.

BUTTARELLI ¿ Otro embozado?

DON DIEGO ¡ Ah de esta casa !

BUTTARELLI Adelante.

DON DIEGO ¿ La Hostería del Laurel?

BUTTARELLI En ella estáis, caballero.

DON DIEGO ¿ Está en casa el hostelero ?
BUTTARELLI Estáis hablando con él.
DON DIEGO ¿ Sois vos Buttarelli ?
BUTTARELLI Yo.
DON DIEGO ¿ Es verdad que hoy tiene aquí
Tenorio una cita ?
BUTTARELLI Sí.
DON DIEGO Y ¿ ha acudido a ella ?
BUTTARELLI No.
DON DIEGO Pero ¿ acudirá ?
BUTTARELLI No sé.
DON DIEGO ¿ Le esperáis vos ?
BUTTARELLI Por si acaso
venir le place.
DON DIEGO En tal caso,
yo también le esperaré.
(*Se sienta al lado opuesto a D. Gonzalo.*)
BUTTARELLI ¿ Que os sirva vianda alguna
queréis mientras ?
DON DIEGO No; tomad (*Dale dinero*).
BUTTARELLI ¡ Excelencia !
DON DIEGO Y excusad
conversación importuna.
BUTTARELLI Perdonad.
DON DIEGO Vais perdonado;
dejadme, pues.
BUTTARELLI (*Aparte.*)
¡ Jesucristo !
En toda mi vida he visto
hombre más malhumorado.
DON DIEGO (*Aparte.*)
¡ Que un hombre de mi linaje
descienda a tan ruin mansión !
Pero no hay humillación
a que un padre no se baje
por un hijo. Quiero ver
por mis ojos la verdad,

y el monstruo de liviandad
a quien pude dar el ser.

(*Buttarelli, que anda arreglando sus trastos, contempla desde el fondo a D. Gonzalo y a D. Diego, que permanecerán embozados y en silencio.*)

BUTTARELLI ¡ Vaya un par de hombres de piedra !
Para éstos sobra mi abasto;
mas ¡ pardiez ! pagan el gasto
que no hacen, y así se medra.

ESCENA IX

DON GONZALO, D. DIEGO, BUTTARELLI, EL CAPITÁN CENTELLAS, AVELLANEDA *y* DOS CABALLEROS

AVELLANEDA Vinieron, y os aseguro
que se efectuará la apuesta.
CENTELLAS Entremos, pues. ¿ Buttarelli ?
BUTTARELLI Señor capitán Centellas,
¿ vos por aquí ?
CENTELLAS Sí, Christófano.
¿ Cuándo aquí, sin mi presencia,
tuvieron lugar las orgías
que han hecho raya en la época ?
BUTTARELLI Como ha tanto tiempo ya
que no os he visto . . .
CENTELLAS Las guerras
del Emperador, a Túnez
me llevaron; mas mi hacienda
me vuelve a traer a Sevilla;
y, según lo que me cuentan,
llego lo más a propósito
para renovar añejas
amistades. Conque apróntanos
luego unas cuantas botellas,
y en tanto que humedecemos
la garganta, verdadera

relación haznos de un lance
sobre el cual hay controversia.

BUTTARELLI — Todo se andará; mas antes
dejadme ir a la bodega.

VARIOS — Sí, sí.

ESCENA X

DICHOS, *menos* BUTTARELLI

CENTELLAS — Sentarse, señores,
y que siga Avellaneda
con la historia de don Luis.

AVELLANEDA — No hay ya más que decir de ella,
sino que creo imposible
que la de Tenorio sea
más endiablada, y que apuesto
por don Luis.

CENTELLAS — Acaso pierdas.
Don Juan Tenorio se sabe
que es la más mala cabeza
del orbe, y no hubo hombre alguno
que aventajarle pudiera
con sólo su inclinación;
conque, ¿ qué hará si se empeña?

AVELLANEDA — Pues yo sé bien que Mejía
las ha hecho tales, que a ciegas
se puede apostar por él.

CENTELLAS — Pues el capitán Centellas
pone por don Juan Tenorio
cuanto tiene.

AVELLANEDA — Pues se acepta
por don Luis, que es muy mi amigo.

CENTELLAS — Pues todo en contra se arriesga;
porque no hay, como Tenorio,
otro hombre sobre la tierra,
y es proverbial su fortuna
y extremadas sus empresas.

ESCENA XI

DICHOS, BUTTARELLI, *con botellas*

BUTTARELLI
Aquí hay Falerno, Borgoña,
Sorrento.

CENTELLAS
De lo que quieras
sirve, Christófano, y dinos:
¿ qué hay de cierto en una apuesta
por don Juan Tenorio ha un año
y don Luis Mejía hecha ?

BUTTARELLI
Señor capitán, no sé
tan a fondo la materia,
que os pueda sacar de dudas,
pero os diré lo que sepa.

VARIOS
Habla, habla.

BUTTARELLI
Yo, la verdad,
aunque fué en mi casa mesma
la cuestión entre ambos, como
pusieron tan larga fecha
a su plazo, creí siempre
que nunca a efecto viniera;
así es, que ni aun me acordaba
de tal cosa a la hora de ésta.
Mas esta tarde, sería
al anochecer apenas,
entróse aquí un caballero
pidiéndome que le diera
recado con que escribir
una carta, y a sus letras
atento no más, me dió
tiempo a que charla metiera
con un paje que traía,
paisano mío, de Génova.
No saqué nada del paje,
que es ¡ por Dios ! muy brava pesca;
mas cuando su amo acababa

la carta, le envió con ella
a quien iba dirigida.
El caballero, en mi lengua
me habló, y me pidió noticias
de don Luis; dijo que entera
sabía de ambos la historia,
y tenía la certeza
de que, al menos uno de ellos,
acudiría a la apuesta.
Yo quise saber más de él,
mas púsome dos monedas
de oro en la mano, diciéndome:
« Y por si acaso los dos
al tiempo aplazado llegan,
ten prevenidas para ambos
tus dos mejores botellas. »
Largóse sin decir más,
y yo, atento a sus monedas,
les puse en el mismo sitio
donde apostaron, la mesa.
Y vedla allí con dos sillas,
dos copas y dos botellas.

AVELLANEDA Pues, señor, no hay que dudar:
era don Luis.

CENTELLAS Don Juan era.

AVELLANEDA ¿ Tú no le viste la cara?

BUTTARELLI ¡ Si la traía cubierta
con un antifaz !

CENTELLAS Pero, hombre,
¿ tú a los dos no los recuerdas,
o no sabes distinguir
a las gentes por sus señas
lo mismo que por sus caras?

BUTTARELLI Pues confieso mi torpeza;
no lo supe conocer,
y lo procuré de veras.
Pero silencio.

AVELLANEDA ¿ Qué pasa ?
BUTTARELLI A dar el reloj comienza
los cuartos para las ocho.
(*Dan.*)
CENTELLAS Ved, ved la gente que se entra.
AVELLANEDA Como que está de este lance
curiosa Sevilla entera.

(*Se oyen dar las ocho; varias personas entran y se reparten en silencio por la escena; al dar la última campanada, D. Juan, con antifaz, se llega a la mesa que ha preparado Buttarelli en el centro del escenario, y se dispone a ocupar una de las dos sillas que están delante de ella. Inmediatamente después de él, entra D. Luis, también con antifaz, y se dirige a la otra. Todos los miran.*)

ESCENA XII

DICHOS, D. JUAN, D. LUIS, *caballeros, curiosos y enmascarados*

AVELLANEDA (*A Centellas, por D. Juan.*)
Verás aquél, si ellos vienen,
qué buen chasco que se lleva.
CENTELLAS (*A Avellaneda por D. Luis.*)
Pues allí va otro a ocupar
la otra silla. ¡ Uf ! ¡ Aquí es ella !
DON JUAN (*A D. Luis*)
Esa silla está comprada,
hidalgo.
DON LUIS (*A D. Juan.*)
Lo mismo digo,
hidalgo; para un amigo
tengo yo esotra pagada.
DON JUAN Que ésta es mía haré notorio.
DON LUIS Y yo también que ésta es mía.
DON JUAN Luego sois don Luis Mejía.
DON LUIS Seréis, pues, don Juan Tenorio.

DON JUAN Puede ser.
DON LUIS Vos lo decís.
DON JUAN ¿No os fiáis?
DON LUIS No.
DON JUAN Yo tampoco.
DON LUIS Pues no hagamos más el coco.
DON JUAN (*Quitándose la máscara.*)
Yo soy don Juan.
DON LUIS (*Idem.*)
Yo don Luis.

(*Se descubren y se sientan. El capitán Centellas, Avellaneda, Buttarelli y algunos otros se van a ellos y les saludan, abrazan y dan la mano y hacen otras semejantes muestras de cariño y amistad. Don Juan y D. Luis las aceptan cortésmente.*)

CENTELLAS ¡Don Juan!
AVELLANEDA ¡Don Luis!
DON JUAN ¡Caballeros!
DON LUIS ¡Oh, amigos! ¿Qué dicha es ésta?
AVELLANEDA Sabíamos vuestra apuesta,
y hemos acudido a veros.
DON LUIS Don Juan y yo, tal bondad
en mucho os agradecemos.
DON JUAN El tiempo no malgastemos,
don Luis.
(*A los otros.*)
Sillas arrimad.
(*A los que están lejos.*)
Caballeros, yo supongo
que a ustedes también aquí
les traerá la apuesta, y por mí,
a antojo tal no me opongo.
DON LUIS Ni yo; que aunque nada más
fué el empeño entre los dos,
no ha de decirse ¡por Dios!
que me avergonzó jamás.
DON JUAN Ni a mí, que el orbe es testigo

de que hipócrita no soy,
pues por doquiera que voy,
va el escándalo conmigo.

DON LUIS ¡Eh! Y esos dos, ¿no se llegan
a escuchar? Vos.
(*Por D. Diego y D. Gonzalo.*)

DON DIEGO Yo estoy bien.

DON LUIS ¿Y vos?

DON GONZALO De aquí oigo también.

DON LUIS Razón tendrán si se niegan.

(*Se sientan todos alrededor de la mesa en que están D. Luis Mejía y D. Juan Tenorio.*)

DON JUAN ¿Estamos listos?

DON LUIS Estamos.

DON JUAN Como quien somos cumplimos.

DON LUIS Veamos, pues, lo que hicimos.

DON JUAN Bebamos antes.

DON LUIS Bebamos.
(*Lo hacen.*)

DON JUAN La apuesta fué. . . .

DON LUIS Porque un día
dije que en España entera
no habría nadie que hiciera
lo que hiciera Luis Mejía.

DON JUAN Y siendo contradictorio
al vuestro mi parecer,
yo os dije: « Nadie ha de hacer
lo que hará don Juan Tenorio. »
¿No es así?

DON LUIS Sin duda alguna;
y vinimos a apostar
quién de ambos sabría obrar
peor, con mejor fortuna,
en el término de un año;
juntándonos aquí hoy
a probarlo.

DON JUAN Y aquí estoy.

Don Luis — Y yo.
Centellas — ¡ Empeño bien extraño,
por vida mía !
Don Juan — Hablad, pues.
Don Luis — No, vos debéis empezar.
Don Juan — Como gustéis, igual es
que nunca me hago esperar.
Pues, señor, yo desde aquí,
buscando mayor espacio
para mis hazañas, dí
sobre Italia, porque allí
tiene el placer un palacio.
De la guerra y del amor
antigua y clásica tierra,
y en ella el Emperador,
con ella y con Francia en guerra,
díjeme: « ¿ Dónde mejor ?
Donde hay soldados, hay juego,
hay pendencias y amoríos. »
Dí, pues, sobre Italia luego,
buscando a sangre y a fuego
amores y desafíos.
En Roma, a mi apuesta fiel,
fijé, entre hostil y amatorio,
en mi puerta este cartel:
« *Aquí está don Juan Tenorio*
para quien quiera algo de él. »
De aquellos días la historia
a relataros renuncio;
remítome a la memoria
que dejé allí, y de mi gloria
podéis juzgar por mi anuncio.
Las romanas, caprichosas;
las costumbres, licenciosas;
yo, gallardo y calavera;
¿ quién a cuento redujera
mis empresas amorosas ?

Salí de Roma, por fin,
como os podéis figurar:
con un disfraz harto ruin
y a lomos de un mal rocín,
pues me querían ahorcar.
Fuí al ejército de España;
mas todos paisanos míos,
soldados y en tierra extraña,
dejé pronto su compaña
tras cinco o seis desafíos.
Nápoles, rico verjel
de amor, de placer emporio,
vió en mi segundo cartel:
« *Aquí está don Juan Tenorio,*
y no hay hombre para él.
Desde la princesa altiva
a la que pesca en ruin barca,
no hay hembra a quien no suscriba,
y cualquiera empresa abarca
si en oro o valor estriba.
Búsquenle los reñidores;
cérquenle los jugadores;
quien se precie, que le ataje;
a ver si hay quien le aventaje
en juego, en lid o en amores. »
Esto escribí; y en medio año
que mi presencia gozó
Nápoles, no hay lance extraño,
no hubo escándalo ni engaño
en que no me hallara yo.
Por dondequiera que fuí,
la razón atropellé,
la virtud escarnecí,
a la justicia burlé
y a las mujeres vendí.
Yo a las cabañas bajé,
yo a los palacios subí,

yo los claustros escalé,
y en todas partes dejé
memoria amarga de mí.
Ni reconocí sagrado,
ni hubo razón ni lugar
por mi audacia respetado;
ni en distinguir me he parado
al clérigo del seglar.
A quien quise provoqué,
con quien quiso me batí,
y nunca consideré
que pudo matarme a mí
aquel a quien yo maté.
A esto don Juan se arrojó,
y escrito en este papel
está cuanto consiguió;
y lo que él aquí escribió,
mantenido está por él.

DON LUIS Leed, pues.

DON JUAN No; oigamos antes
vuestros bizarros extremos,
y si traéis terminantes
vuestras notas comprobantes,
lo escrito cotejaremos.

DON LUIS Decís bien; cosa es que está,
don Juan, muy puesta en razón;
aunque, a mi ver, poco irá
de una a otra relación.

DON JUAN Empezad, pues.

DON LUIS Allá va.
Buscando yo, como vos,
a mi aliento empresas grandes,
dije: « ¿ Dó iré, ¡ vive Dios !
de amor y lides en pos,
que vaya mejor que a Flandes ?
Allí, puesto que empeñadas
guerras hay, a mis deseos

habrá al par centuplicadas
ocasiones extremadas
de riñas y galanteos. »
Y en Flandes conmigo dí,
mas con tan negra fortuna,
que al mes de encontrarme allí
todo mi caudal perdí,
dobla a dobla, una por una.
En tan total carestía
mirándome de dineros,
de mí todo el mundo huía,
mas yo busqué compañía
y me uní a unos bandoleros.
Lo hicimos bien, ¡ voto a tal !
y fuimos tan adelante,
con suerte tan colosal,
que entramos a saco en Gante
el palacio episcopal.
¡ Qué noche ! Por el decoro
de la Pascua, el buen Obispo
bajó a presidir el coro,
y aun de alegría me crispo
al recordar su tesoro.
Todo cayó en poder nuestro;
mas mi capitán, avaro,
puso mi parte en secuestro;
reñimos, yo fuí más diestro,
y le crucé sin reparo.
Juróme al punto la gente
capitán, por más valiente;
juréles yo amistad franca;
pero a la noche siguiente
huí y les dejé sin blanca.
Yo me acordé del refrán
de que quien roba al ladrón
ha cien años de perdón,
y me arrojé a tal desmán

mirando a mi salvación.
Pasé a Alemania opulento,
mas un provincial jerónimo,
hombre de mucho talento,
me conoció, y al momento
me delató en un anónimo.
Compré a fuerza de dinero
la libertad y el papel;
y topando en un sendero
al fraile, le envié certero
una bala envuelta en él.
Salté a Francia, ¡ buen país !
y como en Nápoles vos,
puse un cartel en París,
diciendo: « *Aquí hay un don Luis*
que vale lo menos dos.
Parará aquí algunos meses,
y no trae más intereses
ni se aviene a más empresas,
que adorar a las francesas
y a reñir con los franceses. »
Esto escribí; y en medio año
que mi presencia gozó
París, no hubo lance extraño,
ni hubo escándalo ni daño
donde no me hallara yo.
Mas, como don Juan, mi historia
también a alargar renuncio;
que basta para mi gloria
la magnífica memoria
que allí dejé con mi anuncio.
Y cual vos, por donde fuí
la razón atropellé,
la virtud escarnecí,
a la justicia burlé
y a las mujeres vendí.
Mi hacienda llevo perdida

tres veces; mas se me antoja
reponerla, y me convida
mi boda comprometida
con doña Ana de Pantoja.
Mujer muy rica me dan,
y mañana hay que cumplir
los tratos que hechos están;
lo que os advierto, don Juan,
por si queréis asistir.
A esto don Luis se arrojó,
y escrito en este papel
está lo que consiguió;
y lo que él aquí escribió,
mantenido está por él.

DON JUAN La historia es tan semejante,
que está en el fiel la balanza;
mas vamos a lo importante,
que es el guarismo a que alcanza
el papel; conque adelante.

DON LUIS Razón tenéis, en verdad.
Aquí está el mío; mirad,
por una línea apartados
traigo los nombres sentados,
para mayor claridad.

DON JUAN Del mismo modo arregladas
mis cuentas traigo en el mío;
en dos líneas separadas
los muertos en desafío
y las mujeres burladas.
Contad.

DON LUIS Contad.

DON JUAN Veintitrés.

DON LUIS Son los muertos. A ver vos.
¡Por la cruz de San Andrés!
Aquí sumo treinta y dos.

DON JUAN Son los muertos.

DON LUIS Matar es.

Don Juan Nueve os llevo.
Don Luis Me vencéis.
Pasemos a las conquistas.
Don Juan Sumo aquí cincuenta y seis.
Don Luis Y yo sumo en vuestras listas
setenta y dos.
Don Juan Pues perdéis.
Don Luis ¡ Es increíble, don Juan !
Don Juan Si lo dudáis, apuntados
los testigos ahí están,
que si fueren preguntados
os lo testificarán.
Don Luis ¡ Oh ! Y vuestra lista es cabal.
Don Juan Desde una princesa Real
a la hija de un pescador,
¡ oh ! ha recorrido mi amor
toda la escala social.
¿ Tenéis algo que tachar ?
Don Luis Sólo una os falta, en justicia.
Don Juan ¿ Me la podéis señalar ?
Don Luis Sí, por cierto; una novicia
que esté para profesar.
Don Juan ¡ Bah ! Pues yo os complaceré
doblemente, porque os digo
que a la novicia uniré
la dama de algún amigo
que para casarse esté.
Don Luis ¡ Pardiez, que sois atrevido !
Don Juan Yo os lo apuesto si queréis.
Don Luis Digo que acepto el partido.
Para darlo por perdido,
¿ queréis veinte días ?
Don Juan Seis.
Don Luis ¡ Por Dios, que sois hombre extraño !
¿ Cuántos días empleáis
en cada mujer que amáis ?
Don Juan Partid los días del año

entre las que ahí encontráis.
Uno para enamorarlas,
otro para conseguirlas,
otro para abandonarlas,
dos para sustituirlas
y una hora para olvidarlas.
Pero la verdad a hablaros,
pedir más no se me antoja,
porque pues vais a casaros,
mañana pienso quitaros
a doña Ana de Pantoja.

DON LUIS — Don Juan, ¿ qué es lo que decís?
DON JUAN — Don Luis, lo que oído habéis.
DON LUIS — Ved, don Juan, lo que emprendéis.
DON JUAN — Lo que he de lograr, don Luis.
DON LUIS — ¡ Gastón!
GASTON — Señor.
DON LUIS — Ven acá.

(*Habla D. Luis en secreto con Gastón, y éste se va precipitadamente.*)

DON JUAN — ¡ Ciutti!
CIUTTI — Señor.
DON JUAN — Ven aquí.

(*Don Juan ídem con Ciutti, que hace lo mismo.*)

DON LUIS — ¿ Estáis en lo dicho?
DON JUAN — Sí
DON LUIS — Pues va la vida.
DON JUAN — Pues va.

(*Don Gonzalo, levantándose de la mesa en que ha permanecido inmóvil durante la escena anterior, se afronta con D. Juan y D. Luis.*)

DON GONZALO — ¡ Insensatos! ¡ Vive Dios,
que a no temblarme las manos,
a palos, como a villanos,
os diera muerte a los dos!

DON JUAN Y DON LUIS
Veamos.

DON GONZALO Excusado es,
que he vivido lo bastante
para no estar arrogante
donde no puedo.
DON JUAN Idos, pues.
DON GONZALO Antes, don Juan, de salir
de donde oírme podáis,
es necesario que oigáis
lo que os tengo que decir.
Vuestro buen padre don Diego,
porque pleitos acomoda,
os apalabró una boda
que iba a celebrarse luego;
pero por mí mismo yo,
lo que erais queriendo ver
vine aquí al anochecer,
y el veros me avergonzó.
DON JUAN ¡ Por Satanás, viejo insano,
que no sé cómo he tenido
calma para haberte oído
sin asentarte la mano !
Pero di pronto quién eres,
porque me siento capaz
de arrancarte el antifaz
con el alma que tuvieres.
DON GONZALO ¡ Don Juan !
DON JUAN ¡ Pronto !
DON GONZALO Mira, pues.
DON JUAN ¡ Don Gonzalo !
DON GONZALO El mismo soy.
Y adiós, don Juan; mas desde hoy
no penséis en doña Inés;
porque antes que consentir
en que se case con vos,
el sepulcro ¡ juro a Dios !
por mi mano la he de abrir.
DON JUAN Me hacéis reír, don Gonzalo;

pues venirme a provocar,
es como ir a amenazar
a un león con un mal palo.
Y pues hay tiempo, advertir
os quiero a mi vez a vos
que, o me la dais, o ¡ por Dios,
que a quitárosla he de ir !

DON GONZALO ¡ Miserable !

DON JUAN Dicho está;
sólo una mujer como ésta
me falta para mi apuesta;
ved, pues, que apostada va.

(*Don Diego, levantándose de la mesa en que ha permanecido encubierto mientras la escena anterior, baja al centro de la escena, encarándose con D. Juan.*)

DON DIEGO No puedo más escucharte,
vil don Juan, porque recelo
que hay algún rayo en el cielo
preparado a aniquilarte.
¡ Ah ! . . . No pudiendo creer
lo que de ti me decían,
confiando en que mentían,
te vine esta noche a ver.
Pero te juro, malvado,
que me pesa haber venido
para salir convencido
de lo que es para ignorado.
Sigue, pues, con ciego afán
en tu torpe frenesí,
mas nunca vuelvas a mí;
no te conozco, don Juan.

DON JUAN ¿ Quién nunca a ti se volvió,
ni quién osa hablarme así,
ni qué se me importa a mí
que me conozcas o no ?

DON DIEGO Adiós pues, mas no te olvides
de que hay un Dios justiciero.

DON JUAN (*Deteniéndole.*)
Ten.
DON DIEGO ¿ Qué quieres ?
DON JUAN Verte quiero.
DON DIEGO Nunca; en vano me lo pides.
DON JUAN ¿ Nunca ?
DON DIEGO No.
DON JUAN Cuando me cuadre.
DON DIEGO ¿ Cómo ?
DON JUAN Así.
(*Le arranca el antifaz.*)
TODOS ¡ Don Juan !
DON DIEGO ¡ Villano !
Me has puesto en la faz la mano.
DON JUAN ¡ Válgame Cristo, mi padre !
DON DIEGO Mientes; no lo fuí jamás.
DON JUAN ¡ Reportaos, con Belcebú !
DON DIEGO No, los hijos como tú
son hijos de Satanás.
Comendador, nulo sea
lo hablado.
DON GONZALO Ya lo es por mí;
vamos.
DON DIEGO Sí; vamos de aquí,
donde tal monstruo no vea.
Don Juan, en brazos del vicio
desolado te abandono;
me matas . . ., mas te perdono
de Dios en el santo juicio.
(*Vanse poco a poco D. Diego y D. Gonzalo.*)
DON JUAN Largo el plazo me ponéis;
mas ved que os quiero advertir
que yo no os he ido a pedir
jamás que me perdonéis.
Conque no paséis afán
de aquí adelante por mí,
que como vivió hasta aquí,
vivirá siempre don Juan.

ESCENA XIII

DON JUAN, D. LUIS, CENTELLAS, AVELLANEDA, BUTTARELLI, CURIOSOS *y* MÁSCARAS

DON JUAN ¡ Eh ! Ya salimos del paso,
y no hay que extrañar la homilia;
son pláticas de familia,
de las que nunca hice caso.
Conque lo dicho, don Luis,
van doña Ana y doña Inés
en apuesta.

DON LUIS Y el precio es
la vida.

DON JUAN Vos lo decís;
vamos.

DON LUIS Vamos.

(*Al salir, se presenta una ronda que los detiene.*)

ESCENA XIV

DICHOS *y* UNA RONDA DE ALGUACILES

ALGUACIL ¡ Alto allá !
¿ Don Juan Tenorio ?

DON JUAN Yo soy.

ALGUACIL Sed preso.

DON JUAN Soñando estoy.
¿ Por qué ?

ALGUACIL Después lo verá.

DON LUIS (*Acercándose a D. Juan y riéndose.*)
Tenorio, no lo extrañéis,
pues mirando a lo apostado,
mi paje os ha delatado
para que vos no ganéis.

DON JUAN ¡ Hola ! Pues no os suponía
con tal despejo, ¡ pardiez !

DON LUIS Id, pues, que por esta vez,
don Juan, la partida es mía.

DON JUAN Vamos, pues.

(*Al salir, los detiene otra ronda que entra en la escena.*)

ESCENA XV

DICHOS *y* UNA RONDA

ALGUACIL (*Que entra.*)
¡ Ténganse allá !
¿ Don Luis Mejía ?

DON LUIS Yo soy.

ALGUACIL Sed preso.

DON LUIS Soñando estoy.
¡ Yo preso !

DON JUAN (*Soltando la carcajada.*)
¡ Ja, ja, ja, ja !
Mejía, no lo extrañéis,
pues mirando a lo apostado,
mi paje os ha delatado
para que no me estorbéis.

DON LUIS Satisfecho quedaré
aunque ambos muramos.

DON JUAN Vamos:
conque, señores, quedamos
en que la apuesta está en pie.

(*Las rondas se llevan a D. Juan y a D. Luis; muchos los siguen. El capitán Centellas, Avellaneda y sus amigos quedan en la escena mirándose unos a otros.*)

ESCENA XVI

El Capitán Centellas, Avellaneda *y* Curiosos

Avellaneda ¡ Parece un juego ilusorio !
Centellas ¡ Sin verlo no lo creería !
Avellaneda Pues yo apuesto por Mejía.
Centellas Y yo pongo por Tenorio.

Fin del Acto I.°

ACTO SEGUNDO

DESTREZA

Exterior de la casa de D.ª Ana, vista por una esquina. Las dos paredes que forman el ángulo, se prolongan igualmente por ambos lados, dejando ver en la de la derecha una reja, y en la izquierda una reja y una puerta.

ESCENA PRIMERA

DON LUIS MEJÍA, *embozado*

DON LUIS Ya estoy frente de la casa
de doña Ana, y es preciso
que esta noche tenga aviso
de lo que en Sevilla pasa.
No dí con persona alguna,
por dicha mía . . . ¡ Oh, qué afán !
Por ahora, señor don Juan,
cada cual con su fortuna.
Si honor y vida se juega,
mi destreza y mi valor,
por mi vida y por mi honor,
jugarán . . .; mas alguien llega.

ESCENA II

DON LUIS *y* PASCUAL

PASCUAL ¡ Quién creyera lance tal !
¡ Jesús, qué escándalo ! ¡ Presos !
DON LUIS ¡ Qué veo ! ¿ Es Pascual ?

PASCUAL — Los sesos
me estrellaría.
DON LUIS — ¿ Pascual ?
PASCUAL — ¿ Quién me llama tan apriesa ?
DON LUIS — Yo. Don Luis.
PASCUAL — ¡ Válame Dios !
DON LUIS — ¿ Qué te asombra ?
PASCUAL — Que seáis vos.
DON LUIS — Mi suerte, Pascual, es ésa.
Que a no ser yo quien me soy,
y a no dar contigo ahora,
el honor de mi señora
doña Ana moría hoy.
PASCUAL — ¿ Qué es lo que decís ?
DON LUIS — ¿ Conoces
a don Juan Tenorio ?
PASCUAL — Sí.
¿ Quién no le conoce aquí ?
Mas, según públicas voces,
estabais presos los dos.
Vamos, ¡ lo que el vulgo miente !
DON LUIS — Ahora, acertadamente
habló el vulgo; y juro a Dios
que, a no ser porque mi primo,
el tesorero Real,
quiso fiarme, Pascual,
pierdo cuanto más estimo.
PASCUAL — Pues ¿ cómo ?
DON LUIS — ¿ En servirme estás ?
PASCUAL — Hasta morir.
DON LUIS — Pues escucha.
Don Juan y yo, en una lucha
arriesgada por demás
empeñados nos hallamos;
pero, a querer tú ayudarme,
más que la vida salvarme
puedes.

PASCUAL ¿ Qué hay que hacer? Sepamos.
DON LUIS En una insigne locura
dimos tiempo ha: en apostar
cuál de ambos sabría obrar
peor, con mejor ventura.
Ambos nos hemos portado
bizarramente a cual más;
pero él es un Satanás,
y por fin me ha aventajado.
Púsele no sé qué pero;
dijímonos no sé qué
sobre ello, y el hecho fué
que él, mofándose altanero,
me dijo: « Y si esto no os llena,
pues que os casáis con doña Ana,
os apuesto a que mañana
os la quito yo. »
PASCUAL ¡ Esa es buena!
¿ Tal se ha atrevido a decir?
DON LUIS No es lo malo que lo diga,
Pascual, sino que consiga
lo que intenta.
PASCUAL ¿ Conseguir?
En tanto que yo esté aquí,
descuidad, don Luis.
DON LUIS Te juro
que si el lance no aseguro,
no sé qué va a ser de mí.
PASCUAL
¡ Por la Virgen del Pilar!
¿ Le teméis!
DON LUIS No; ¡ Dios testigo!
Mas lleva ese hombre consigo
algún diablo familiar.
PASCUAL Dadlo por asegurado.
DON LUIS ¡ Oh! Tal es el afán mío,
que ni en mí propio me fío

con un hombre tan osado.

PASCUAL
Yo os juro, por San Ginés,
que, con toda su osadía,
le ha de hacer, por vida mía,
mal tercio un aragonés;
nos veremos.

DON LUIS
¡ Ay, Pascual,
que en qué te metes no sabes !

PASCUAL
En apreturas más graves
me he visto, y no salí mal.

DON LUIS
Estriba en lo perentorio
del plazo y en ser quien es.

PASCUAL
Más que un buen aragonés
no ha de valer un Tenorio.
Todos esos lenguaraces,
espadachines de oficio,
no son más que frontispicio
y de poca alma capaces.
Para infamar a mujeres
tienen lengua, y tienen manos
para osar a los ancianos
o apalear a mercaderes.
Mas cuando una buena espada,
por un buen brazo esgrimida,
con la muerte les convida,
todo su valor es nada.
Y sus empresas y bullas
se reducen todas ellas
a hablar mal de las doncellas
y a huir ante las patrullas.

DON LUIS
¡ Pascual !

PASCUAL
No lo hablo por vos,
que, aunque sois un calavera,
tenéis la alma bien entera
y reñís bien, ¡ voto a brios !

DON LUIS
Pues si es en mí tan notorio
el valor, mira, Pascual,

que el valor es proverbial
en la raza de Tenorio.
Y porque conozco bien
de su valor el extremo,
de sus ardides me temo
que en tierra con mi honra den.

PASCUAL Pues suelto estáis ya, don Luis,
y pues que tanto os acucia
el mal de celos, su astucia
con la astucia prevenís.
¿ Qué teméis de él ?

DON LUIS No lo sé;
mas esta noche sospecho
que ha de procurar el hecho
consumar.

PASCUAL Soñáis.

DON LUIS ¿ Por qué ?

PASCUAL ¿ No está preso ?

DON LUIS Sí que está;
mas también lo estaba yo,
y un hidalgo me fió.

PASCUAL Mas ¿ quién a él le fiará ?

DON LUIS En fin, sólo un medio encuentro
de satisfacerme.

PASCUAL ¿ Cuál ?

DON LUIS Que de esta casa, Pascual,
quede yo esta noche dentro.

PASCUAL Mirad que así de doña Ana
tenéis el honor vendido.

DON LUIS ¡ Qué mil rayos ! ¿ Su marido
no voy a ser yo mañana ?

PASCUAL Mas, señor, ¿ no os digo yo
que os fío con la existencia ?

DON LUIS Sí; salir de una pendencia,
mas de un ardid diestro, no.
Y, en fin, o paso en la casa
la noche, o tomo la calle,

aunque la justicia me halle.

PASCUAL Señor don Luis, eso pasa
de terquedad, y es capricho
que dejar os aconsejo,
y os irá bien.

DON LUIS No lo dejo,
Pascual.

PASCUAL ¡ Don Luis !

DON LUIS Está dicho.

PASCUAL ¡ Vive Dios ! ¿ Hay tal afán ?

DON LUIS Tú dirás lo que quisieres,
mas yo fío en las mujeres
mucho menos que en don Juan.
Y pues lance es extremado
por dos locos emprendido,
bien será un loco atrevido
para un loco desalmado.

PASCUAL Mirad bien lo que decís,
porque yo sirvo a doña Ana
desde que nació, y mañana
seréis su esposo, don Luis.

DON LUIS Pascual, esa hora llegada
y ese derecho adquirido,
yo sabré ser su marido
y la haré ser bien casada.
Mas en tanto . . .

PASCUAL No habléis más.
Yo os conozco desde niños,
y sé lo que son cariños,
¡ por vida de Barrabás !
Oíd: mi cuarto es sobrado
para los dos; dentro de él
quedad; mas palabra fiel
dadme de estaros callado.

DON LUIS Te la doy.

PASCUAL Y hasta mañana,
juntos con doble cautela,

nos quedaremos en vela.
DON LUIS Y se salvará doña Ana.
PASCUAL Sea.
DON LUIS Pues vamos.
PASCUAL ¡ Teneos !
¿ Qué vais a hacer ?
DON LUIS A entrar.
PASCUAL ¿ Ya ?
DON LUIS ¿ Quién sabe lo que él hará ?
PASCUAL Vuestros celosos deseos
reprimid, que ser no puede
mientras que no se recoja
mi amo, don Gil de Pantoja,
y todo en silencio quede.
DON LUIS ¡ Voto a . . . !
PASCUAL ¡ Eh ! Dad una vez
breves treguas al amor.
DON LUIS Y ¿ a qué hora ese buen señor
suele acostarse ?
PASCUAL A las diez;
y en esa calleja estrecha
hay una reja; llamad
a las diez, y descuidad
mientras en mí.
DON LUIS Es cosa hecha.
PASCUAL Don Luis, hasta luego, pues.
DON LUIS Adiós, Pascual, hasta luego.

ESCENA III

DON LUIS

DON LUIS Jamás tal desasosiego
tuve. Paréceme que es
esta noche hora menguada
para mí . . ., y no sé qué vago

presentimiento, qué estrago
teme mi alma acongojada.
¡ Por Dios, que nunca pensé
que a doña Ana amara así,
ni por ninguna sentí
lo que por ella ! . . . ¡ Oh ! Y a fe
que de don Juan me amedrenta,
no el valor, mas la ventura.
Parece que le asegura
Satanás en cuanto intenta.
No, no; es un hombre infernal,
y téngome para mí
que, si me aparto de aquí,
me burla, pese a Pascual.
Y aunque me tenga por necio,
quiero entrar; que con don Juan
las precauciones no están
para vistas con desprecio.
(*Llama a la ventana.*)

ESCENA IV

DON LUIS *y* D.ª ANA

DOÑA ANA ¿ Quién va ?
DON LUIS ¿ No es Pascual ?
DOÑA ANA ¡ Don Luis !
DON LUIS ¡ Doña Ana !
DOÑA ANA ¿ Por la ventana
llamas ahora ?
DON LUIS ¡ Ay, doña Ana,
cuán a buen tiempo salís !
DOÑA ANA Pues, ¿ qué hay, Mejía ?
DON LUIS Un empeño
por tu beldad con un hombre
que temo.

Doña Ana — Y ¿ qué hay que te asombre
en él, cuando eres tú el dueño
de mi corazón ?

Don Luis — Doña Ana,
no lo puedes comprender
de ese hombre sin conocer,
nombre y suerte.

Doña Ana — Será vana
su buena suerte conmigo;
ya ves, sólo horas nos faltan
para la boda, y te asaltan
vanos temores.

Don Luis — Testigo
me es Dios que nada por mí
me da pavor mientras tenga
espada, y ese hombre venga
cara a cara contra ti.
Mas, como el león audaz,
y cauteloso y prudente
como la astuta serpiente . . .

Doña Ana — ¡ Bah ! Duerme, don Luis, en paz,
que su audacia y su prudencia
nada lograrán de mí,
que tengo cifrada en ti
la gloria de mi existencia.

Don Luis — Pues bien, Ana, de ese amor
que me aseguras en nombre,
para no temer a ese hombre,
voy a pedirte un favor.

Doña Ana — Di; mas bajo, por si escucha
tal vez alguno.

Don Luis — Oye, pues.

ESCENA V

DOÑA ANA *y* D. LUIS *a la reja derecha;* D. JUAN *y* CIUTTI, *en la calle izquierda*

CIUTTI — Señor, ¡ por mi vida, que es
vuestra suerte buena y mucha !
DON JUAN — Ciutti, nadie como yo;
ya viste cuán fácilmente
el buen alcaide prudente
se avino, y suelta me dió.
Mas no hay ya en ello que hablar;
¿ mis encargos has cumplido ?
CIUTTI — Todos los he concluído
mejor que pude esperar.
DON JUAN — ¿ La beata . . .
CIUTTI — Ésta es la llave
de la puerta del jardín
que habrá que escalar al fin,
pues como usarced ya sabe,
las tapias de este convento
no tienen entrada alguna.
DON JUAN — Y ¿ te dió carta ?
CIUTTI — Ninguna;
me dijo que aquí al momento
iba a salir de camino;
que al convento se volvía,
y que con vos hablaría.
DON JUAN — Mejor es.
CIUTTI — Lo mismo opino.
DON JUAN — ¿ Y los caballos ?
CIUTTI — Con silla
y freno los tengo ya.
DON JUAN — ¿ Y la gente ?
CIUTTI — Cerca está.

DON JUAN — Bien, Ciutti: mientras Sevilla
tranquila en sueño reposa
creyéndome encarcelado,
otros dos nombres añado
a mi lista numerosa.
¡ Ja, ja !

CIUTTI — ¡ Señor !

DON JUAN — ¿ Qué ?

CIUTTI — ¡ Callad !

¿ Qué hay, Ciutti ?

CIUTTI — Al doblar la esquina,
en esa reja vecina
he visto un hombre.

DON JUAN — Es verdad;
pues ahora sí que es mejor
el lance. ¿ Y si es ése ?

CIUTTI — ¿ Quién ?

DON JUAN — Don Luis.

CIUTTI — Imposible.

DON JUAN — ¡ Toma !
¿ No estoy yo aquí ?

CIUTTI — Diferencia
va de él a vos.

DON JUAN — Evidencia
lo creo, Ciutti; allí asoma
tras de la reja una dama.

CIUTTI — Una criada tal vez.

DON JUAN — Preciso es verlo, ¡ pardiez !
no perdamos lance y fama.
Mira, Ciutti; a fuer de ronda,
tú, con varios de los míos,
por esa calle escurríos,
dando vuelta a la redonda
a la casa.

CIUTTI — Y en tal caso,
cerrará ella.

DON JUAN — Pues con eso,

ella ignorante y él preso,
nos dejará franco el paso.

CIUTTI — Decís bien.

DON JUAN — Corre, y atájale,
que en ello el vencer consiste.

CIUTTI — Mas ¿ si el truhán se resiste....

DON JUAN — Entonces, de un tajo rájale.

ESCENA VI

DON JUAN, D.ª ANA *y* D. LUIS

DON LUIS — ¿ Me das, pues, tu asentimiento?

DOÑA ANA — Consiento.

DON LUIS — ¿ Complácesme de ese modo?

DOÑA ANA — En todo.

DON LUIS — Pues te velaré hasta el día.

DOÑA ANA — Sí, Mejía.

DON LUIS — Páguete el cielo, Ana mía,
satisfacción tan entera.

DOÑA ANA — Porque me juzgues sincera
consiento en todo, Mejía.

DON LUIS — Volveré, pues, otra vez.

DOÑA ANA — Sí, a las diez.

DON LUIS — ¿ Me aguardarás, Ana?

DOÑA ANA — Sí.

DON LUIS — Aquí.

DOÑA ANA — Y tú estarás puntual, ¿ eh?

DON LUIS — Estaré.

DOÑA ANA — La llave, pues, te daré.

DON LUIS — Y dentro yo de tu casa,
venga Tenorio.

DOÑA ANA — Alguien pasa.
A las diez.

DON LUIS — *Aquí estaré.*

ESCENA VII

DON JUAN *y* D. LUIS

DON LUIS Mas se acercan. ¿ Quién va allá ?
DON JUAN Quien va.
DON LUIS De quien va así, ¿ qué se infiere ?
DON JUAN Que . . . quiere . . .
DON LUIS Ver si la lengua le arranco.
DON JUAN El paso franco.
DON LUIS Guardado está.
DON JUAN Y yo, ¿ soy manco ?
DON LUIS Pidiéraislo en cortesía.
DON JUAN Y ¿ a quién ?
DON LUIS A don Luis Mejía.
DON JUAN *Quien va, quiere el paso franco.*
DON LUIS ¿ Conocéisme ?
DON JUAN Sí.
DON LUIS ¿ Y yo a vos ?
DON JUAN Los dos.
DON LUIS Y ¿ en qué estriba el estorballe ?
DON JUAN En la calle.
DON LUIS ¿ De ella los dos por ser amos ?
DON JUAN Estamos.
DON LUIS Dos hay no más que podamos
necesitarla a la vez.
DON JUAN Lo sé.
DON LUIS Sois don Juan.
DON JUAN ¡ Pardiez !
Los dos ya en la calle estamos.
DON LUIS ¿ No os prendieron ?
DON JUAN Como a vos.
DON LUIS ¡ Vive Dios !
Y ¿ huisteis ?
DON JUAN Os imité:
y ¡ qué !

DON LUIS — Que perderéis.
DON JUAN — No sabemos.
DON LUIS — Lo veremos.
DON JUAN — La dama entrambos tenemos
sitiada, y estáis cogido.
DON LUIS — Tiempo hay.
DON JUAN — Para vos perdido.
DON LUIS — *¡Vive Dios, que lo veremos!*

(*Don Luis desenvaina su espada; mas Ciutti, que ha bajado con los suyos cautelosamente hasta colocarse tras él, le sujeta.*)

DON JUAN — Señor don Luis, vedlo pues.
DON LUIS — Traición es.
DON JUAN — La boca . . .

(*A los suyos, que se la tapan a D. Luis.*)

DON LUIS — ¡Oh!
DON JUAN — Sujeto atrás,
más.

(*Le sujetan los brazos.*)

La empresa es, señor Mejía,
como mía.

(*A los suyos.*)

Encerrádmele hasta el día.
La apuesta está ya en mi mano.

(*A D. Luis.*)

Adiós, don Luis; si os la gano,
traición es, mas como mía.

ESCENA VIII

DON JUAN

¡Buen lance, viven los cielos!
Éstos son los que dan fama;
mientras le soplo la dama,
él se arrancará los pelos
encerrado en mi bodega.

¿ Y ella ? . . . Cuando crea hallarse
con él . . . ¡ Ja, ja ! . . . ¡ Oh, y quejarse
no puede; limpio se juega !
A la cárcel le llevé,
y salió; llevóme a mí,
y salí; hallarnos aquí
era fuerza . . .; ya se ve,
su parte en la grave apuesta
defendía cada cual.
Mas con la suerte está mal
Mejía, y también pierde ésta.
Sin embargo, y por si acaso,
no es de más asegurarse
de Lucía, a desgraciarse
no vaya por poco el paso.
Mas por allí un bulto negro
se aproxima . . ., y, a mi ver,
es el bulto una mujer.
¿ Otra aventura ? Me alegro.

ESCENA IX

DON JUAN *y* BRÍGIDA

BRÍGIDA ¿ Caballero ?
DON JUAN ¿ Quién va allá ?
BRÍGIDA ¿ Sois don Juan ?
DON JUAN ¡ Por vida de . . .
¡ Si es la beata ! ¡ Y, a fe,
que la había olvidado ya !
Llegaos; don Juan soy yo.
BRÍGIDA ¿ Estáis solo ?
DON JUAN Con el diablo.
BRÍGIDA ¡ Jesucristo !
DON JUAN Por vos lo hablo.

BRÍGIDA ¿ Soy yo el diablo ?
DON JUAN Créolo.
BRÍGIDA ¡ Vaya ! ¡ Qué cosas tenéis !
Vos sí que sois un diablillo . . .
DON JUAN Que te llenará el bolsillo
si le sirves.
BRÍGIDA Lo veréis.
DON JUAN Descarga, pues, ese pecho.
¿ Qué hiciste ?
BRÍGIDA Cuanto me ha dicho
vuestro paje . . .; y ¡ qué mal bicho
es ese Ciutti !
DON JUAN ¿ Qué ha hecho ?
BRÍGIDA ¡ Gran bribón !
DON JUAN ¿ No os ha entregado
un bolsillo y un papel ?
BRÍGIDA Leyendo estará ahora en él
doña Inés.
DON JUAN ¿ La has preparado ?
BRÍGIDA Vaya; y os la he convencido
con tal maña y de manera,
que irá como una cordera
tras vos.
DON JUAN ¡ Tan fácil te ha sido !
BRÍGIDA ¡ Bah ! Pobre garza enjaulada,
dentro la jaula nacida,
¿ qué sabe ella si hay más vida
ni más aire en que volar ?
Si no vió nunca sus plumas
del sol a los resplandores,
¿ qué sabe de los colores
de que se puede ufanar ?
No cuenta la pobrecilla
diez y siete primaveras,
y aun virgen a las primeras
impresiones del amor,
nunca concibió la dicha

fuera de su pobre estancia,
tratada desde la infancia
con cauteloso rigor.
Y tantos años monótonos
de soledad y convento,
tenían su pensamiento
ceñido a punto tan ruin,
a tan reducido espacio
y a círculo tan mezquino,
que era el claustro su destino
y el altar era su fin.
« Aquí está Dios, » la dijeron;
y ella dijo: « Aquí le adoro. »
« Aquí está el claustro y el coro »;
y pensó: « No hay más allá. »
Y sin otras ilusiones
que sus sueños infantiles,
pasó diez y siete abriles
sin conocerlo quizá.

DON JUAN Y ¿ está hermosa?

BRÍGIDA ¡ Oh ! Como un ángel.

DON JUAN Y ¿ la has dicho?. . .

BRÍGIDA Figuraos
si habré metido mal caos
en su cabeza, don Juan.
La hablé del amor, del mundo,
de la corte y los placeres,
de cuanto con las mujeres
erais pródigo y galán.
La dije que erais el hombre
por su padre destinado
para suyo; os he pintado
muerto por ella de amor,
desesperado por ella,
y por ella perseguido,
y por ella decidido
a perder vida y honor.

En fin, mis dulces palabras,
al posarse en sus oídos,
sus deseos mal dormidos
arrastraron de sí en pos;
y allá dentro de su pecho
han inflamado una llama
de fuerza tal, que ya os ama
y no piensa más que en vos.

DON JUAN
Tan incentiva pintura
los sentidos me enajena,
y el alma ardiente me llena
de su insensata pasión.
Empezó por una apuesta,
siguió por un devaneo,
engendró luego un deseo,
y hoy me quema el corazón.
Poco es el centro de un claustro:
¡ al mismo infierno bajara,
y a estocadas la arrancara
de los brazos de Satán !
¡ Oh ! Hermosa flor, cuyo cáliz
al rocío aun no se ha abierto,
a trasplantarte va al huerto
de sus amores don Juan.
¿ Brígida ?

BRÍGIDA
Os estoy oyendo,
y me hacéis perder el tino;
yo os creía un libertino
sin alma y sin corazón.

DON JUAN
¿ Eso extrañas ? ¿ No está claro
que en un objeto tan noble
hay que interesarse doble
que en otros ?

BRÍGIDA
Tenéis razón.

DON JUAN
Conque ¿ a qué hora se recogen
las madres ?

BRÍGIDA
Ya recogidas

estarán. Vos, ¿ prevenidas
todas las cosas tenéis?

DON JUAN — Todas.

BRÍGIDA — Pues luego que doblen
a las ánimas, con tiento
saltando al huerto, al convento
fácilmente entrar podéis
con la llave que os he enviado;
de un claustro obscuro y estrecho
es; seguid bien derecho
y daréis con poco afán
en nuestra celda.

DON JUAN — Y si acierto
a robar tan gran tesoro,
te he de hacer pesar en oro.

BRÍGIDA — Por mí no queda, don Juan.

DON JUAN — Vé y aguárdame.

BRÍGIDA — Voy, pues,
a entrar por la portería
y a cegar a sor María
la tornera. Hasta después.

(*Vase Brígida, y un poco antes de concluir esta escena, sale Ciutti, que se para en el fondo, esperando.*)

ESCENA X

DON JUAN *y* CIUTTI

DON JUAN — Pues, señor, ¡ soberbio envite!
Muchas hice hasta esta hora,
mas ¡ por Dios! que la de ahora
será tal, que me acredite.
Mas ya veo que me espera
Ciutti. ¡ Lebrel!
(*Llamándole.*)

CIUTTI — Aquí estoy.

DON JUAN ¿Y don Luis?
CIUTTI Libre por hoy
estáis de él.
DON JUAN Ahora quisiera
ver a Lucía.
CIUTTI Llegar
podéis aquí.
(*A la reja derecha.*)
Yo la llamo,
y al salir a mi reclamo,
la podéis vos abordar.
DON JUAN Llama, pues.
CIUTTI La seña mía
sabe bien para que dude
en acudir.
DON JUAN Pues si acude,
lo demás es cuenta mía.

(*Ciutti llama a la reja con una seña que parezca convenida. Lucía se asoma a ella, y al ver a D. Juan, se detiene un momento.*)

ESCENA XI

DON JUAN, LUCÍA *y* CIUTTI

LUCÍA ¿Qué queréis, buen caballero?
DON JUAN Quiero . . .
LUCÍA ¿Qué queréis? Vamos a ver.
DON JUAN Ver . . .
LUCÍA ¿Ver? ¿Qué veréis a esta hora?
DON JUAN A tu señora.
LUCÍA Idos, hidalgo, en mal hora;
¿quién pensáis que vive aquí?
DON JUAN Doña Ana Pantoja, y
quiero ver a tu señora.
LUCÍA ¿Sabéis que casa doña Ana?
DON JUAN Sí, mañana.

LUCÍA Y ¿ ha de ser tan infiel ya ?
DON JUAN Sí será.
LUCÍA Pues ¿ no es de don Luis Mejía ?
DON JUAN ¡ Ca ! Otro día.
Hoy no es mañana, Lucía;
yo he de estar hoy con doña Ana,
y si se casa mañana,
mañana será otro día.
LUCÍA ¡ Ah ! ¿ En recibiros está ?
DON JUAN Podrá.
LUCÍA ¿ Qué haré si os he de servir ?
DON JUAN Abrir.
LUCÍA ¡ Bah ! Y ¿ quién abre este castillo ?
DON JUAN Ese bolsillo.
LUCÍA ¡ Oro !
DON JUAN Pronto te dió el brillo.
LUCÍA ¡ Cuánto !
DON JUAN De cien doblas pasa.
LUCÍA ¡ Jesús !
DON JUAN Cuenta, y di: esta casa,
¿ podrá abrir ese bolsillo ?
LUCÍA ¡ Oh ! Si es quien me dora el pico . . .
DON JUAN (*Interrumpiéndola.*)
Muy rico.
LUCÍA ¿ Sí ? ¿ Qué nombre usa el galán ?
DON JUAN Don Juan.
LUCÍA ¿ Sin apellido notorio ?
DON JUAN Tenorio.
LUCÍA ¡ Ánimas del purgatorio !
¿ Vos don Juan ?
DON JUAN ¿ Qué te amedrenta,
si a tus ojos se presenta
muy rico don Juan Tenorio ?
LUCÍA Rechina la cerradura.
DON JUAN Se asegura.
LUCÍA Y a mí, ¿ quién ? ¡ Por Belcebú !
DON JUAN Tú.

LUCÍA — Y ¿ qué me abrirá el camino?
DON JUAN — Buen tino.
LUCÍA — ¡ Bah ! Id en brazos del destino . . .
DON JUAN — Dobla el oro.
LUCÍA — Me acomodo.
DON JUAN — Pues mira cómo de todo
se asegura tu buen tino.
LUCÍA — Dadme algún tiempo, ¡ pardiez !
DON JUAN — A las diez.
LUCÍA — ¿ Dónde os busco, o vos a mí?
DON JUAN — Aquí.
LUCÍA — Conque estaréis puntual, ¿ eh?
DON JUAN — Estaré.
LUCÍA — Pues yo una llave os traeré.
DON JUAN — Y yo otra igual cantidad.
LUCÍA — No me faltéis.
DON JUAN — No, en verdad;
a las diez aquí estaré.
Adiós, pues, y en mí te fía.
LUCÍA — Y en mí el garboso galán.
DON JUAN — Adiós, pues, franca Lucía.
LUCÍA — Adiós, pues, rico don Juan.

(*Lucía cierra la ventana. Ciutti se acerca a D. Juan a una seña de éste.*)

ESCENA XII

DON JUAN *y* CIUTTI

DON JUAN (*Riéndose.*)
Con oro, nada hay que falle.
Ciutti, ya sabes mi intento:
a las nueve, en el convento;
a las diez, en esta calle.
(*Vanse.*)

FIN DEL ACTO 2.°

ACTO TERCERO

PROFANACIÓN

Celda de D.ª Inés. — Puerta en el fondo y a la izquierda.

ESCENA PRIMERA

DOÑA INÉS *y* LA ABADESA

ABADESA — ¿ Conque me habéis entendido?
DOÑA INÉS — Sí, señora.
ABADESA — Está muy bien;
la voluntad decisiva
de vuestro padre, tal es.
Sois joven, cándida y buena;
vivido en el claustro habéis
casi desde que nacisteis;
y para quedar en él
atada con santos votos
para siempre, ni aun tenéis,
como otras, pruebas difíciles
ni penitencias que hacer.
¡ Dichosa mil veces vos;
dichosa, sí, doña Inés,
que no conociendo el mundo,
no le debéis de temer!
¡ Dichosa vos, que del claustro
al pisar en el dintel,
no os volveréis a mirar
lo que tras vos dejaréis!
Y los mundanos recuerdos

del bullicio y del placer,
no os turbarán, tentadores,
del ara santa a los pies;
pues ignorando lo que hay
tras esa santa pared,
lo que tras ella se queda,
jamás apeteceréis.
Mansa paloma, enseñada
en las palmas a comer
del dueño que la ha criado
en doméstico vergel,
no habiendo salido nunca
de la protectora red,
no ansiaréis nunca las alas
por el espacio tender.
Lirio gentil, cuyo tallo
mecieron sólo tal vez
las embalsamadas brisas
del más florecido mes,
aquí a los besos del aura,
vuestro cáliz abriréis,
y aquí vendrán vuestras hojas
tranquilamente a caer.
Y en el pedazo de tierra
que abarca nuestra estrechez,
y en el pedazo de cielo
que por las rejas se ve,
vos no veréis más que un lecho
do en dulce sueño yacer,
y un velo azul suspendido
a las puertas del Edén . . .
¡ Ay ! En verdad que os envidio,
venturosa doña Inés,
con vuestra inocente vida,
la virtud del no saber.
Mas ¿ por qué estáis cabizbaja ?
¿ Por qué no me respondéis

como otras veces, alegre,
cuando en lo mismo os hablé?
¿Suspiráis?... ¡Oh! Ya comprendo;
de vuelta aquí hasta no ver
a vuestra aya, estáis inquieta,
pero nada receléis.
A casa de vuestro padre
fué casi al anochecer,
y abajo en la portería
estará; yo os la enviaré,
que estoy de vela esta noche.
Conque, vamos, doña Inés,
recogeos, que ya es hora;
mal ejemplo no me deis
a las novicias, que ha tiempo
que duermen ya; hasta después.

DOÑA INÉS Id con Dios, madre abadesa.

ABADESA Adiós, hija.

ESCENA II

DOÑA INÉS

Ya se fué.
No sé qué tengo, ¡ay de mí!
que en tumultuoso tropel
mil encontradas ideas
me combaten a la vez.
Otras noches, complacida
sus palabras escuché,
y de esos cuadros tranquilos
que sabe pintar tan bien,
de esos placeres domésticos
la dichosa sencillez
y la calma venturosa,
me hicieron apetecer

la soledad de los claustros
y su santa rigidez.
Mas hoy la oí distraída,
y en sus pláticas hallé,
si no enojosos discursos,
a lo menos aridez.
Y no sé por qué al decirme
que podría acontecer
que se acelerase el día
de mi profesión, temblé,
y sentí del corazón
acelerarse el vaivén,
y teñírseme el semblante
de amarilla palidez.
¡ Ay de mí! . . . Pero mi dueña,
¿ dónde estará? . . . Esa mujer,
con sus pláticas, al cabo,
me entretiene alguna vez.
Y hoy la echo menos . . . Acaso
porque la voy a perder,
que en profesando, es preciso
renunciar a cuanto amé.
Mas pasos siento en el claustro;
¡ oh ! reconozco muy bien
sus pisadas . . . Ya está aquí.

ESCENA III

Doña Inés *y* Brígida

Brígida — Buenas noches, doña Inés.
Doña Inés — ¿ Cómo habéis tardado tanto?
Brígida — Voy a cerrar esta puerta.
Doña Inés — Hay orden de que esté abierta.
Brígida — Eso es muy bueno y muy santo
para las otras novicias

que han de consagrarse a Dios;
no, doña Inés, para vos.

DOÑA INÉS
Brígida, no ves que vicias
las reglas del monasterio,
que no permiten . . .

BRÍGIDA
¡ Bah, bah !
Más seguro así se está,
y así se habla sin misterio
ni estorbos. ¿ Habéis mirado
el libro que os he traído ?

DOÑA INÉS
¡ Ay, se me había olvidado !

BRÍGIDA
Pues ¡ me hace gracia el olvido !

DOÑA INÉS
¡ Como la madre abadesa
se entró aquí inmediatamente !

BRÍGIDA
¡ Vieja más impertinente !

DOÑA INÉS
Pues ¿ tanto el libro interesa ?

BRÍGIDA
¡ Vaya si interesa, mucho !
Pues ¡ quedó con poco afán
el infeliz !

DOÑA INÉS
¿ Quién ?

BRÍGIDA
Don Juan.

DOÑA INÉS
¡ Válgame el cielo ! ¿ Qué escucho ?
¿ Es don Juan quien me le envía ?

BRÍGIDA
Por supuesto.

DOÑA INÉS
¡ Oh ! Yo no debo
tomarle.

BRÍGIDA
¡ Pobre mancebo !
Desairarle así, sería
matarle.

DOÑA INÉS
¿ Qué estás diciendo ?

BRÍGIDA
Si ese Horario no tomáis,
tal pesadumbre le dais,
que va a enfermar, lo estoy viendo.

DOÑA INÉS
¡ Ah ! No, no; de esa manera,
le tomaré.

BRÍGIDA
Bien haréis.

DOÑA INÉS
Y ¡ qué bonito es !

BRÍGIDA Ya veis;
quien quiere agradar, se esmera.
DOÑA INÉS Con sus manecillas de oro.
Y cuidado que está prieto.
A ver, a ver si completo
contiene el rezo del coro.
(*Le abre, y cae una carta de entre sus hojas.*)
Mas ¿ qué cayó ?
BRÍGIDA Un papelito.
DOÑA INÉS ¡ Una carta !
BRÍGIDA Claro está;
en esa carta os vendrá
ofreciendo el regalito.
DOÑA INÉS ¡ Qué ! ¿ Será suyo el papel ?
BRÍGIDA ¡ Vaya, que sois inocente !
Pues que os feria, es consiguiente
que la carta será de él.
DOÑA INÉS ¡ Ay, Jesús !
BRÍGIDA ¿ Qué es lo que os da ?
DOÑA INÉS Nada, Brígida, no es nada.
BRÍGIDA No, no; si estáis inmutada.
(*Aparte.*)
(Ya presa en la red está.)
¿ Se os pasa ?
DOÑA INÉS Sí.
BRÍGIDA Eso habrá sido
cualquier mareíllo vano.
DOÑA INÉS ¡ Ay, se me abrasa la mano
con que el papel he cogido !
BRÍGIDA Doña Inés, ¡ válgame Dios !
jamás os he visto así;
estáis trémula.
DOÑA INÉS ¡ Ay de mí !
BRÍGIDA ¿ Qué es lo que pasa por vos ?
DOÑA INÉS No sé . . . El campo de mi mente
siento que cruzan perdidas
mil sombras desconocidas

que me inquietan vagamente,
y ha tiempo al alma me dan
con su agitación tortura.

BRÍGIDA ¿ Tiene alguna, por ventura,
el semblante de don Juan?

DOÑA INÉS No sé; desde que le vi,
Brígida mía, y su nombre
me dijiste, tengo a ese hombre
siempre delante de mí.
Por doquiera me distraigo
con su agradable recuerdo,
y si un instante le pierdo,
en su recuerdo recaigo.
No sé qué fascinación
en mis sentidos ejerce,
que siempre hacia él se me tuerce
la mente y el corazón;
y aquí, y en el oratorio,
y en todas partes advierto
que el pensamiento divierto
con la imagen de Tenorio.

BRÍGIDA ¡ Válgame Dios ! Doña Inés,
según lo vais explicando,
tentaciones me van dando
de creer que eso amor es.

DOÑA INÉS ¿ Amor has dicho?

BRÍGIDA Sí, amor.

DOÑA INÉS No, de ninguna manera.

BRÍGIDA Pues por amor lo entendiera
el menos entendedor;
mas vamos la carta a ver:
¿ en qué os paráis? ¿ Un suspiro?

DOÑA INÉS ¡ Ay, que cuanto más la miro,
menos me atrevo a leer !

(*Lee.*)

« Doña Inés del alma mía . . . »
¡ Virgen Santa, qué principio !

Brígida Vendrá en verso, y será un ripio
que traerá la poesía.
Vamos, seguid adelante.

Doña Inés (*Lee.*)
« Luz de donde el sol la toma,
hermosísima paloma
privada de libertad,
si os dignáis por estas letras
pasar vuestros lindos ojos,
no los tornéis con enojos
sin concluir, acabad . . . »

Brígida ¡ Qué humildad, y qué finura !
¿ Dónde hay mayor rendimiento ?

Doña Inés Brígida, no sé qué siento.

Brígida Seguid, seguid la lectura.

Doña Inés (*Lee.*)
« Nuestros padres, de consuno
nuestras bodas acordaron,
porque los cielos juntaron
los destinos de los dos.
Y halagado desde entonces
con tan risueña esperanza,
mi alma, doña Inés, no alcanza
otro porvenir que vos.
De amor con ella en mi pecho
brotó una chispa ligera,
que han convertido en hoguera
tiempo y afición tenaz.
Y esta llama, que en mí mismo
se alimenta, inextinguible,
cada día más terrible
va creciendo y más voraz . . . »

Brígida Es claro; esperar le hicieron
en vuestro amor algún día,
y hondas raíces tenía
cuando a arrancársele fueron.
Seguid.

DOÑA INÉS (*Lee.*) « En vano a apagarla
concurren tiempo y ausencia,
que, doblando su violencia,
no hoguera, ya volcán es.
Y yo, que en medio del cráter
desamparado batallo,
suspendido en él me hallo
entre mi tumba y mi Inés . . . »

BRÍGIDA ¿ Lo veis, Inés ? Si ese Horario
le despreciáis, al instante
le preparan el sudario.

DOÑA INÉS Yo desfallezco.

BRÍGIDA Adelante.

DOÑA INÉS (*Lee.*)
« Inés, alma de mi alma,
perpetuo imán de mi vida,
perla sin concha escondida
entre las algas del mar;
garza que nunca del nido
tender osastes el vuelo,
el diáfano azul del cielo
para aprender a cruzar,
si es que a través de esos muros
el mundo apenada miras,
y por el mundo suspiras,
de libertad con afán,
acuérdate que al pie mismo
de esos muros que te guardan,
para salvarte te aguardan
los brazos de tu don Juan . . . »
(*Representa.*)
¿ Qué es lo que me pasa, ¡ cielo !
que me estoy viendo morir ?

BRÍGIDA (*Aparte.*)
(Ya tragó todo el anzuelo.)
Vamos, que está al concluir.

DOÑA INÉS (*Lee.*) « Acuérdate de quien llora
al pie de tu celosía,
y allí le sorprende el día
y le halla la noche allí;
acuérdate de quien vive
sólo por ti, ¡ vida mía !
y que a tus pies volaría
si le llamaras a ti . . . »

BRÍGIDA ¿ Lo veis ? Vendría.

DOÑA INÉS ¡ Vendría !

BRÍGIDA A postrarse a vuestros pies.

DOÑA INÉS ¿ Puede ?

BRÍGIDA ¡ Oh, sí !

DOÑA INÉS ¡ Virgen María !

BRÍGIDA Pero acabad, doña Inés.

DOÑA INÉS (*Lee.*)
« Adiós, ¡ oh luz de mis ojos !
adiós, Inés de mi alma;
medita, por Dios, en calma
las palabras que aquí van;
y si odias esa clausura
que ser tu sepulcro debe,
manda, que a todo se atreve
por tu hermosura, don Juan. »
(*Representa D.ª Inés.*)
¡ Ay ! ¿ Qué filtro envenenado
me dan en este papel,
que el corazón desgarrado
me estoy sintiendo con él ?
¿ Qué sentimientos dormidos
son los que revela en mí ?
¿ Qué impulsos jamás sentidos ?
¿ Qué luz, que hasta hoy nunca vi ?
¿ Qué es lo que engendra en mi alma
tan nuevo y profundo afán ?
¿ Quién roba la dulce calma
de mi corazón ?

BRÍGIDA — Don Juan.
DOÑA INÉS — ¡ Don Juan dices ! . . . ¿ Conque ese hombre
me ha de seguir por doquier ?
¿ Sólo he de escuchar su nombre,
sólo su sombra he de ver ?
¡ Ah ! ¡ Bien dice ! Juntó el cielo
los destinos de los dos,
y en mi alma engendró este anhelo
fatal.
BRÍGIDA — ¡ Silencio, por Dios !
(*Se oyen dar las ánimas.*)
DOÑA INÉS — ¿ Qué ?
BRÍGIDA — Silencio.
DOÑA INÉS — Me estremezco.
BRÍGIDA — ¿ Oís, doña Inés, tocar ?
DOÑA INÉS — Sí; lo mismo que otras veces
las ánimas oigo dar.
BRÍGIDA — Pues no habléis de él.
DOÑA INÉS — ¡ Cielo santo !
¿ De quién ?
BRÍGIDA — ¿ De quién ha de ser ?
De ese don Juan que amáis tanto,
porque puede aparecer.
DOÑA INÉS — ¡ Me amedrentas ! ¿ Puede ese hombre
llegar hasta aquí ?
BRÍGIDA — Quizá,
porque el eco de su nombre
tal vez llega adonde está.
DOÑA INÉS — ¡ Cielos ! Y ¿ podrá . . . ?
BRÍGIDA — ¿ Quién sabe ?
DOÑA INÉS — ¿ Es un espíritu, pues ?
BRÍGIDA — No; mas si tiene una llave . . .
DOÑA INÉS — ¡ Dios !
BRÍGIDA — Silencio, doña Inés,
¿ No oís pasos ?
DOÑA INÉS — ¡ Ay ! Ahora
nada oigo.

BRÍGIDA — Las nueve dan.
Suben . . . , se acercan . . . , señora . . . ;
ya está aquí.

DOÑA INÉS — ¿ Quién ?

BRÍGIDA — El.

DOÑA INÉS — ¡ Don Juan !

ESCENA IV

DOÑA INÉS, D. JUAN *y* BRÍGIDA

DOÑA INÉS — ¿ Qué es esto? ¿ Sueño . . . , deliro ?

DON JUAN — ¡ Inés de mi corazón !

DOÑA INÉS — ¿ Es realidad lo que miro,
o es una fascinación ? . . .
¡ Tenedme . . . , apenas respiro . . . ;
sombra . . . , huye, por compasión !
¡ Ay de mí ! . . .

(*Desmáyase D.ª Inés, y D. Juan la sostiene. La carta de D. Juan queda en el suelo, abandonada por D.ª Inés al desmayarse.*)

BRÍGIDA — La ha fascinado
vuestra repentina entrada,
y el pavor la ha trastornado.

DON JUAN — Mejor; así nos ha ahorrado
la mitad de la jornada.
¡ Ea ! No desperdiciemos
el tiempo aquí en contemplarla,
si perdernos no queremos.
En los brazos a tomarla
voy, y cuanto antes, ganemos
ese claustro solitario.

BRÍGIDA — ¡ Oh ! ¿ Vais a sacarla así ?

DON JUAN — ¡ Necia ! ¿ Piensas que rompí
la clausura, temerario,
para dejármela aquí ?

Mi gente abajo me espera;
sígueme.

BRÍGIDA ¡ Sin alma estoy !
¡ Ay ! Este hombre es una fiera;
nada le ataja ni altera . . .
Sí, sí; a su sombra me voy.

ESCENA V

LA ABADESA

Jurara que había oído
por estos claustros andar;
hoy a doña Inés velar
algo más la he permitido,
y me temo . . . Mas no están
aquí. ¿ Qué pudo ocurrir
a las dos para salir
de la celda ? ¿ Dónde irán ?
¡ Hola ! Yo las atare
corto para que no vuelvan
a enredar, y me revuelvan
a las novicias . . . ; sí, a fe.
Mas siento por allá fuera
pasos. ¿ Quién es ?

ESCENA VI

LA ABADESA *y* LA TORNERA

TORNERA Yo, señora.
ABADESA ¡ Vos en el claustro a esta hora !
¿ Qué es esto, hermana Tornera ?
TORNERA Madre abadesa, os buscaba.
ABADESA ¿ Qué hay ? Decid.

TORNERA Un noble anciano
quiere hablaros.

ABADESA Es en vano.

TORNERA Dice que es de Calatrava
caballero; que sus fueros
le autorizan a este paso,
y que la urgencia del caso
le obliga al instante a veros.

ABADESA ¿ Dijo su nombre ?

TORNERA El señor
don Gonzalo Ulloa.

ABADESA ¿ Qué
puede querer ? . . . Ábrale,
hermana; es Comendador
de la Orden, y derecho tiene
en el claustro de entrada.

ESCENA VII

LA ABADESA. DON GONZALO *después*

ABADESA ¿ A una hora tan avanzada
venir así ? . . . No sospecho
qué pueda ser . . . ; mas me place,
pues no hallando a su hija aquí,
la reprenderá, y así
mirará otra vez lo que hace.

ESCENA VIII

LA ABADESA *y* D. GONZALO. LA TORNERA, *a la puerta*

DON GONZALO Perdonad, madre abadesa,
que en hora tal os moleste;
mas para mí, asunto es éste
que honra y vida me interesa.

ABADESA ¡ Jesús !
DON GONZALO Oíd.
ABADESA Hablad, pues.
DON GONZALO Yo guardé hasta hoy un tesoro
de más quilates que el oro,
y ese tesoro es mi Inés.
ABADESA A propósito . . .
DON GONZALO Escuchad.
Se me acaba de decir
que han visto a su dueña ir
ha poco por la ciudad,
hablando con el criado
de un don Juan, de tal renombre,
que no hay en la tierra otro hombre
tan audaz y tan malvado.
En tiempo atrás se pensó
con él a mi hija casar,
y hoy, que se la fuí a negar,
robármela me juró;
que por el torpe doncel
ganada la dueña está,
no puedo dudarlo ya;
debo, pues, guardarme de él.
Y un día, una hora quizás
de imprevisión, le bastara
para que mi honor manchara
ese hijo de Satanás.
He aquí mi inquietud cuál es;
por la dueña, en conclusión,
vengo; vos la profesión
abreviad de doña Inés.
ABADESA Sois padre, y es vuestro afán
muy justo, Comendador;
mas ved que ofende a mi honor.
DON GONZALO ¡ No sabéis quién es don Juan !
ABADESA Aunque le pintáis tan malo,
yo os puedo decir de mí,

que mientra Inés esté aquí,
segura está, don Gonzalo.

Don Gonzalo
Lo creo; mas las razones
abreviemos; entregadme
a esa dueña, y perdonadme
mis mundanas opiniones.
Si vos de vuestra virtud
me respondéis, yo me fundo
en que conozco del mundo
la insensata juventud.

Abadesa
Se hará como lo exigís.
Hermana Tornera: id, pues,
a buscar a doña Inés
y a su dueña.
(*Vase la Tornera.*)

Don Gonzalo
¿ Qué decís,
señora? O traición me ha hecho
mi memoria, o yo sé bien
que esta es hora de que estén
ambas a dos en su lecho.

Abadesa
Ha un punto sentí a las dos
salir de aquí, no sé a qué.

Don Gonzalo
¡ Ay! ¿ Por qué tiemblo? ¡ No sé!
Mas ¿ qué veo? ¡ Santo Dios!
¡ Un papel! . . . ¡ Me lo decía
a voces mi mismo afán!
(*Leyendo.*)
« Doña Inés del alma mía . . . »
¡ Y la firma de don Juan!
¡ Ved . . . , ved . . . esa prueba escrita!
¡ Leed ahí! . . . ¡ Oh! ¡ Mientras que vos
por ella rogáis a Dios,
viene el diablo y os la quita!

ESCENA IX

LA ABADESA, D. GONZALO *y* LA TORNERA

TORNERA — Señora...
ABADESA — ¿ Qué es ?
TORNERA — ¡ Vengo muerta !
DON GONZALO — ¡ Concluid !
TORNERA — ¡ No acierto a hablar !...
¡ He visto a un hombre saltar
por las tapias de la huerta !
DON GONZALO — ¿ Veis ? ¡ Corramos ! ¡ Ay de mí !
ABADESA — ¿ Dónde vais, Comendador ?
DON GONZALO — ¡ Imbécil ! ¡ Tras de mi honor,
que os roban a vos de aquí !

FIN DEL ACTO 3.°

ACTO CUARTO

EL DIABLO A LAS PUERTAS DEL CIELO

Quinta de D. Juan Tenorio, cerca de Sevilla y sobre el Guadalquivir. — Balcón en el fondo. — Dos puertas a cada lado.

ESCENA PRIMERA

BRÍGIDA *y* CIUTTI

BRÍGIDA Qué noche, ¡ válgame Dios !
A poderlo calcular,
no me meto yo a servir
a tan fogoso galán.
¡ Ay, Ciutti ! Molida estoy;
no me puedo menear.
CIUTTI Pues ¿ qué os duele ?
BRÍGIDA Todo el cuerpo,
y toda el alma además.
CIUTTI ¡ Ya ! No estáis acostumbrada
al caballo, es natural.
BRÍGIDA Mil veces pensé caer.
¡ Uf ! ¡ Qué mareo ! ¡ Que afán !
Veía yo unos tras otros
ante mis ojos pasar
los árboles como en alas
llevados de un huracán,
tan apriesa y produciéndome
ilusión tan infernal,
que perdiera los sentidos
si tardamos en parar.

CIUTTI Pues de estas cosas veréis,
si en esta casa os quedáis,
lo menos seis por semana.
BRÍGIDA ¡ Jesús !
CIUTTI Y esa niña, ¿ está
reposando todavía ?
BRÍGIDA Y ¿ a qué se ha de despertar ?
CIUTTI Sí; es mejor que abra los ojos
en los brazos de don Juan.
BRÍGIDA Preciso es que tu amo tenga
algún diablo familiar.
CIUTTI Yo creo que sea él mismo
un diablo en carne mortal,
porque a lo que él, solamente
se arrojara Satanás.
BRÍGIDA ¡ Oh ! ¡ El lance ha sido extremado !
CIUTTI Pero al fin logrado está.
BRÍGIDA ¡ Salir así, de un convento,
en medio de una ciudad
como Sevilla !
CIUTTI Es empresa
tan solo para hombre tal;
mas ¡ qué diablos ! si a su lado
la fortuna siempre va,
y encadenado a sus pies
duerme sumiso el azar.
BRÍGIDA Sí; decís bien.
CIUTTI No he visto hombre
de corazón más audaz;
no halla riesgo que le espante,
ni encuentra dificultad
que al empeñarse en vencer,
le haga un punto vacilar.
A todo osado se arroja;
de todo se ve capaz;
ni mira dónde se mete,
ni lo pregunta jamás.

« Allí hay un lance, » le dicen;
y él dice: « Allá va don Juan. »
Mas ya tarda, ¡ vive Dios!

BRÍGIDA Las doce en la catedral
han dado ha tiempo.

CIUTTI Y de vuelta
debía a las doce estar.

BRÍGIDA Pero ¿ por qué no se vino
con nosotros?

CIUTTI Tiene allá,
en la ciudad, todavía
cuatro cosas que arreglar.

BRÍGIDA ¿ Para el viaje?

CIUTTI Por supuesto;
aunque muy fácil será
que esta noche a los infiernos
le hagan a él mismo viajar.

BRÍGIDA ¡ Jesús, qué ideas!

CIUTTI Pues ¡ digo!
¿ Son obras de caridad
en las que nos empleamos,
para mejor esperar?
Aunque seguros estamos
como vuelva por acá.

BRÍGIDA ¿ De veras, Ciutti?

CIUTTI Venid
a este balcón, y mirad;
¿ qué veis?

BRÍGIDA Veo un bergantín,
que anclado en el río está.

CIUTTI Pues su patrón sólo aguarda
las órdenes de don Juan,
y salvos, en todo caso,
a Italia nos llevará.

BRÍGIDA ¿ Cierto?

CIUTTI Y nada receléis
por nuestra seguridad,

que es el barco más velero
que boga sobre la mar.

BRÍGIDA ¡ Chist ! Ya siento a doña Inés . . .

CIUTTI Pues yo me voy, que don Juan
encargó que sola vos
debíais con ella hablar.

BRÍGIDA Y encargó bien, que yo entiendo
de esto.

CIUTTI Adiós, pues.

BRÍGIDA Vete en paz.

ESCENA II

DOÑA INÉS *y* BRÍGIDA

DOÑA INÉS ¡ Dios mío, cuánto he soñado !
¡ Loca estoy ! ¿ Qué hora será ?
Pero ¿ qué es esto ? ¡ ay de mí !
No recuerdo que jamás
haya visto este aposento.
¿ Quién me trajo aquí ?

BRÍGIDA Don Juan.

DOÑA INÉS Siempre don Juan . . .
¿ Aquí tú también estás,
Brígida ?

BRÍGIDA Sí, doña Inés.

DOÑA INÉS Pero dime, en caridad,
¿ dónde estamos ? Este cuarto,
¿ es del convento ?

BRÍGIDA No tal;
aquello era un cuchitril
en donde no había más
que miseria.

DOÑA INÉS Pero, en fin,
¿ en dónde estamos ?

BRÍGIDA Mirad,

mirad por este balcón,
y alcanzaréis lo que va
desde un convento de monjas
a una quinta de don Juan.

DOÑA INÉS ¿ Es de don Juan esta quinta ?

BRÍGIDA Y creo que vuestra ya.

DOÑA INÉS Pero no comprendo, Brígida,
lo que dices.

BRÍGIDA Escuchad.
Estabais en el convento
leyendo con mucho afán
una carta de don Juan,
cuando estalló en un momento
un incendio formidable.

DOÑA INÉS ¡ Jesús !

BRÍGIDA Espantoso, inmenso;
el humo era ya tan denso,
que el aire se hizo palpable.

DOÑA INÉS Pues no recuerdo . . .

BRÍGIDA Las dos,
con la carta entretenidas,
olvidamos nuestras vidas;
yo oyendo, y leyendo vos.
Y estaba, en verdad, tan tierna,
que entrambas a su lectura
achacamos la tortura
que sentíamos interna.
Apenas ya respirar
podíamos, y las llamas
prendían en nuestras camas;
nos íbamos a asfixiar,
cuando don Juan, que os adora,
y que rondaba el convento,
al ver crecer con el viento
la llama devastadora,
con inaudito valor,
viendo que ibais a abrasaros.

se metió para salvaros
por donde pudo mejor.
Vos, al verle así asaltar
la celda tan de improviso,
os desmayasteis . . . ; preciso,
la cosa era de esperar.
Y él, cuando os vió caer así,
en sus brazos os tomó
y echó a huir; yo le seguí,
y del fuego nos sacó.
¿ Dónde íbamos a esta hora ?
Vos seguíais desmayada,
yo estaba ya casi ahogada.
Dijo, pues: « Hasta la aurora
en mi casa las tendré. »
Y henos, doña Inés, aquí.

DOÑA INÉS ¿ Conque ésta es su casa ?

BRÍGIDA Sí.

DOÑA INÉS Pues nada recuerdo, a fe.
Pero . . . ¡ en su casa ! . . . ¡ Oh, al punto
salgamos de ella ! . . . Yo tengo
la de mi padre.

BRÍGIDA Convengo
con vos; pero es el asunto . . .

DOÑA INÉS ¿ Qué ?

BRÍGIDA Que no podemos ir.

DOÑA INÉS Oír tal me maravilla.

BRÍGIDA Nos aparta de Sevilla . . .

DOÑA INÉS ¿ Quién ?

BRÍGIDA Vedlo, el Guadalquivir.

DOÑA INÉS ¿ No estamos en la ciudad ?

BRÍGIDA A una legua nos hallamos
de sus murallas.

DOÑA INÉS ¡ Oh ! ¡ Estamos
perdidas !

BRÍGIDA ¡ No sé, en verdad,
por qué !

Doña Inés — Me estás confundiendo,
Brígida . . . Y no sé qué redes
son las que entre estas paredes
temo que me estás tendiendo.
Nunca el claustro abandoné,
ni sé del mundo exterior
los usos, mas tengo honor;
noble soy, Brígida, y sé
que la casa de don Juan
no es buen sitio para mí;
me lo está diciendo aquí
no sé qué escondido afán.
Ven, huyamos.

Brígida — Doña Inés,
la existencia os ha salvado.

Doña Inés — Sí, pero me ha envenenado
el corazón.

Brígida — ¿ Le amáis, pues?

Doña Inés — No sé . . . Mas, por compasión,
huyamos pronto de ese hombre,
tras de cuyo solo nombre
se me escapa el corazón.
¡ Ah ! Tú me diste un papel
de manos de ese hombre escrito,
y algún encanto maldito
me diste encerrado en él.
Una sola vez le vi
por entre unas celosías,
y que estaba, me decías,
en aquel sitio por mí.
Tú, Brígida, a todas horas
me venías de él a hablar,
haciéndome recordar
sus gracias fascinadoras.
Tú me dijiste que estaba
para mío destinado
por mi padre, y me has jurado

en su nombre que me amaba.
¿ Que le amo dices ? . . . Pues bien;
si esto es amar, sí, le amo;
pero yo sé que me infamo
con esa pasión también.
Y si el débil corazón
se me va tras de don Juan,
tirándome de él están
mi honor y mi obligación.
Vamos, pues; vamos de aquí
primero que ese hombre venga,
pues fuerza acaso no tenga
si le veo junto a mí.
Vamos, Brígida.

Brígida Esperad.
¿ No oís ?

Doña Inés ¿ Qué ?

Brígida Ruido de remos.

Doña Inés Sí, dices bien; volveremos
en un bote a la ciudad.

Brígida Mirad, mirad, doña Inés.

Doña Inés Acaba . . . Por Dios; partamos.

Brígida Ya, imposible que salgamos.

Doña Inés ¿ Por qué razón ?

Brígida Porque él es
quien en ese barquichuelo
se adelanta por el río.

Doña Inés ¡ Ay ! ¡ Dadme fuerzas, Dios mío !

Brígida Ya llegó; ya está en el suelo.
Sus gentes nos volverán
a casa; mas antes de irnos,
es preciso despedirnos
a lo menos de don Juan.

Doña Inés Sea, y vamos al instante.
No quiero volverle a ver.

Brígida (*Aparte.*)
Los ojos te hará volver

al encontrarle delante.
(*Alto.*)
Vamos.

DOÑA INÉS — Vamos.

CIUTTI (*Dentro.*) — Aquí están.

DON JUAN (*Idem.*)
Alumbra.

BRÍGIDA — ¡ Nos busca !

DOÑA INÉS — El es.

ESCENA III

DICHAS *y* D. JUAN

DON JUAN — ¿ Adónde vais, doña Inés?

DOÑA INÉS — Déjadme salir, don Juan.

DON JUAN — ¿ Que os deje salir?

BRÍGIDA — Señor,
sabiendo ya el accidente
del fuego, estará impaciente
por su hija el Comendador.

DON JUAN — ¡ El fuego ! ¡ Ah ! No os dé cuidado
por don Gonzalo, que ya
dormir tranquilo le hará
el mensaje que le he enviado.

DOÑA INÉS — ¿ Le habéis dicho . . .?

DON JUAN — Que os hallabais
bajo mi amparo segura,
y el aura del campo pura
libre por fin respirabais.
(*Vase Brígida.*)
Cálmate, pues, vida mía;
reposa aquí, y un momento
olvida de tu convento
la triste cárcel sombría.
¡ Ah ! ¿ No es cierto, ángel de amor,

que en esta apartada orilla
más pura la luna brilla
y se respira mejor?
Esta aura que vaga llena
de los sencillos olores
de las campesinas flores
que brota esa orilla amena;
esa agua limpia y serena,
que atraviesa sin temor
la barca del pescador
que espera cantando el día,
¿no es cierto, paloma mía,
que están respirando amor?
Esa armonía que el viento
recoge entre esos millares
de floridos olivares,
que agita con manso aliento;
ese dulcísimo acento
con que trina el ruiseñor
de sus copas morador,
llamando al cercano día,
¿no es verdad, gacela mía,
que están respirando amor?
Y estas palabras que están
filtrando insensiblemente
tu corazón, ya pendiente
de los labios de don Juan,
y cuyas ideas van
inflamando en su interior
un fuego germinador
no encendido todavía,
¿no es verdad, estrella mía,
que están respirando amor?
Y esas dos líquidas perlas
que se desprenden tranquilas
de tus radiantes pupilas
convidándome a beberlas,

evaporarse a no verlas
de sí mismas al calor,
y ese encendido color
que en tu semblante no había,
¿ no es verdad, hermosa mía,
que están respirando amor?
¡ Oh ! Sí, bellísima Inés,
espejo y luz de mis ojos;
escucharme sin enojos
como lo haces, amor es;
mira aquí a tus plantas, pues,
todo el altivo rigor
de este corazón traidor
que rendirse no creía,
adorando, vida mía,
la esclavitud de tu amor.

DOÑA INÉS

Callad, por Dios, ¡ oh ! don Juan,
que no podré resistir
mucho tiempo sin morir
tan nunca sentido afán.
¡ Ah ! Callad, por compasión,
que oyéndoos, me parece
que mi cerebro enloquece
y se arde mi corazón.
¡ Ah ! Me habéis dado a beber
un filtro infernal sin duda,
que a rendiros os ayuda
la virtud de la mujer.
Tal vez poseéis, don Juan,
un misterioso amuleto,
que a vos me atrae en secreto
como irresistible imán.
Tal vez Satán puso en vos
su vista fascinadora,
su palabra seductora
y el amor que negó a Dios.
Y ¿ qué he de hacer, ¡ ay de mí !

sino caer en vuestros brazos,
si el corazón en pedazos
me vais robando de aquí?
No, don Juan, en poder mío
resistirte no está ya;
yo voy a ti, como va
sorbido al mar ese río.
Tu presencia me enajena,
tus palabras me alucinan,
y tus ojos me fascinan,
y tu aliento me envenena.
¡ Don Juan, don Juan! Yo lo imploro
de tu hidalga compasión:
o arráncame el corazón,
o ámame, porque te adoro.

DON JUAN ¡ Alma mía! Esa palabra
cambia de modo mi ser,
que alcanzo que puede hacer
hasta que el Edén se me abra.
No es, doña Inés, Satanás
quien pone este amor en mí;
es Dios, que quiere por ti
ganarme para *Él* quizás.
No; el amor que hoy se atesora
en mi corazón mortal,
no es un amor terrenal
como el que sentí hasta ahora;
no es esa chispa fugaz
que cualquier ráfaga apaga;
es incendio que se traga
cuanto ve, inmenso, voraz.
Desecha, pues, tu inquietud,
bellísima doña Inés,
porque me siento a tus pies
capaz aun de la virtud.
Sí; iré mi orgullo a postrar
ante el buen Comendador,

y, o habrá de darme tu amor,
o me tendrá que matar.

DOÑA INÉS ¡ Don Juan de mi corazón !

DON JUAN ¡ Silencio ! ¿ Habéis escuchado ?

DOÑA INÉS ¿ Qué ?

DON JUAN Sí; una barca ha atracado
debajo de ese balcón.
Un hombre embozado, de ella
salta . . . Brígida, al momento
(*Entra Brígida.*)
pasad a esotro aposento,
y perdonad, Inés bella,
si solo me importa estar.

DOÑA INÉS ¿ Tardarás ?

DON JUAN Poco ha de ser.

DOÑA INÉS A mi padre hemos de ver.

DON JUAN Sí; en cuanto empiece a clarear.
Adiós.

ESCENA IV

DON JUAN *y* CIUTTI

CIUTTI Señor . . .

DON JUAN ¿ Qué sucede,
Ciutti ?

CIUTTI Ahí está un embozado,
en veros muy empeñado.

DON JUAN ¿ Quién es ?

CIUTTI Dice que no puede
descubrirse más que a vos,
y que es cosa de tal priesa,
que en ella se os interesa
la vida a entrambos a dos.

DON JUAN ¿ Y en él no has reconocido
marca ni señal alguna
que nos oriente ?

CIUTTI — Ninguna;
mas a veros decidido
viene.

DON JUAN — ¿ Trae gente ?

CIUTTI — No más
que los remeros del bote.

DON JUAN — Que entre.

ESCENA V

DON JUAN. *Luego* CIUTTI *y* D. LUIS, *embozado*

DON JUAN — ¡ Jugamos a escote
la vida ! . . . Mas, si es quizás
un traidor que hasta mi quinta
me viene siguiendo el paso . . . ,
hálleme, pues, por si acaso,
con las armas en la cinta.

(*Se ciñe la espada y suspende al cinto un par de pistolas que habrá colocado sobre la mesa a su salida en la escena tercera. Al momento sale Ciutti, conduciendo a D. Luis, que, embozado hasta los ojos, espera a que se queden solos. D. Juan hace a Ciutti una seña para que se retire. Lo hace.*)

ESCENA VI

DON JUAN *y* D. LUIS

DON JUAN (*Aparte.*)
(¡ Buen talante !) Bien venido,
caballero.

DON LUIS — Bien hallado,
señor mío.

DON JUAN — Sin cuidado
hablad.

DON LUIS Jamás lo he tenido.
DON JUAN Decid, pues: ¿ a qué venís
a esta hora y con tal afán?
DON LUIS Vengo a mataros, don Juan.
DON JUAN Según eso, ¿ sois don Luis?
DON LUIS No os engañó el corazón,
y el tiempo no malgastemos,
don Juan; los dos no cabemos
ya en la tierra.
DON JUAN En conclusión,
señor Mejía: es decir
que, porque os gané la apuesta,
¿ queréis que acabe la fiesta
con salirnos a batir?
DON LUIS Estáis puesto en la razón;
la vida apostado habemos,
y es fuerza que nos paguemos.
DON JUAN Soy de la misma opinión.
Mas ved que os debo advertir
que sois vos quien la ha perdido.
DON LUIS Pues por eso os la he traído;
mas no creo que morir
deba nunca un caballero
que lleva en el cinto espada,
como una res destinada
por su dueño al matadero.
DON JUAN Ni yo creo que resquicio
habréis jamás encontrado
por donde me hayáis tomado
por un cortador de oficio.
DON LUIS De ningún modo; y ya veis
que, pues os vengo a buscar,
mucho en vos debo fiar.
DON JUAN No más de lo que podéis.
Y por mostraros mejor
mi generosa hidalguía,
decid si aun puedo, Mejía,

satisfacer vuesto honor.
Leal la apuesta os gané;
mas si tanto os ha escocido,
mirad si halláis conocido
remedio, y le aplicaré.

DON LUIS — No hay más que el que os he propuesto,
don Juan. Me habéis maniatado,
y habéis la casa asaltado
usurpándome mi puesto;
y pues el mío tomasteis
para triunfar de doña Ana,
no sois vos, don Juan, quien gana,
porque por otro jugasteis.

DON JUAN — Ardides del juego son.

DON LUIS — Pues no os los quiero pasar,
y por ellos a jugar
vamos ahora el corazón.

DON JUAN — ¿ Le arriesgáis, pues, en revancha
de doña Ana de Pantoja?

DON LUIS — Sí; y lo que tardo me enoja
en lavar tan fea mancha.
Don Juan, yo la amaba, sí;
mas con lo que habéis osado,
imposible la hais dejado
para vos y para mí.

DON JUAN — ¿ Por qué la apostasteis, pues?

DON LUIS — Porque no pude pensar
que la pudierais lograr.
Y . . . vamos ¡ por San Andrés !
a reñir, que me impaciento.

DON JUAN — Bajemos a la ribera.

DON LUIS — Aquí mismo.

DON JUAN — Necio fuera;
¿ no veis que en este aposento
prendieran al vencedor?
Vos traéis una barquilla.

DON LUIS — Sí.

Don Juan — Pues que lleve a Sevilla
al que quede.

Don Luis — Eso es mejor;
salgamos, pues.

Don Juan — Esperad.

Don Luis — ¿ Qué sucede ?

Don Juan — Ruido siento.

Don Luis — Pues no perdamos momento.

ESCENA VII

Don Juan, D. Luis *y* Ciutti

Ciutti — Señor, la vida salvad.

Don Juan — ¿ Qué hay, pues ?

Ciutti — El Comendador,
que llega con gente armada.

Don Juan — Déjale franca la entrada,
pero a él solo.

Ciutti — Mas señor . . .

Don Juan — Obedéceme.

(*Vase Ciutti.*)

ESCENA VIII

Don Juan *y* D. Luis

Don Juan — Don Luis,
pues de mí os habéis fiado
cuanto dejáis demostrado
cuando a mi casa venís,
no dudaré en suplicaros,
pues mi valor conocéis,
que un instante me aguardéis.

Don Luis — Yo nunca puse reparos

en valor que es tan notorio,
mas no me fío de vos.

DON JUAN — Ved que las partes son dos
de la apuesta con Tenorio,
y que ganadas están.

DON LUIS — ¡ Lograsteis a un tiempo . . . !

DON JUAN — Sí;
la del convento está aquí;
y pues viene de don Juan
a reclamarla quien puede,
cuando me podéis matar,
no debo asunto dejar
tras mí que pendiente quede.

DON LUIS — Pero mirad que meter
quien puede el lance impedir
entre los dos, puede ser . . .

DON JUAN — ¿ Qué ?

DON LUIS — Excusaros de reñir.

DON JUAN — ¡ Miserable ! . . . De don Juan
podéis dudar sólo vos;
mas aquí entrad, ¡ vive Dios !
y no tengáis tanto afán
por vengaros, que este asunto
arreglado con ese hombre,
don Luis, yo os juro a mi nombre
que nos batimos al punto.

DON LUIS — Pero . . .

DON JUAN — ¡ Con una legión
de diablos ! entrad aquí,
que harta nobleza es en mí
aun daros satisfacción.
Desde ahí ved y escuchad;
franca tenéis esa puerta;
si veis mi conducta incierta,
como os acomode obrad.

DON LUIS — Me avengo, si muy reacio
no andáis.

DON JUAN — Calculadlo vos
a placer; mas ¡ vive Dios,
que para todo hay espacio !

(*Entra D. Luis en el cuarto que D. Juan le señala.*)

Ya suben.

(*D. Juan escucha.*)

DON GONZALO (*Dentro.*) ¿ Dónde está ?

DON JUAN — Él es.

ESCENA IX

DON JUAN *y* D. GONZALO

DON GONZALO — ¿ Adónde está ese traidor ?

DON JUAN — Aquí está, Comendador.

DON GONZALO — ¿ De rodillas ?

DON JUAN — Y a tus pies.

DON GONZALO — Vil eres hasta en tus crímenes.

DON JUAN — Anciano, la lengua ten,
y escúchame un solo instante.

DON GONZALO — ¿ Qué puede en tu lengua haber
que borre lo que tu mano
escribió en este papel ?
¡ Ir a sorprender, infame,
la cándida sencillez
de quien no pudo el veneno
de esas letras precaver !
¡ Derramar en su alma virgen
traidoramente la hiel
en que rebosa la tuya,
seca de virtud y fe !
¡ Proponerse así enlodar
de mis timbres la alta prez,
como si fuera un harapo
que desecha un mercader !
¿ Ese es el valor, Tenorio,
de que blasonas ? ¿ Esa es

la proverbial osadía
que te da al vulgo a temer?
¿ Con viejos y con doncellas
la muestras? . . . Y ¿ para qué?
¡ Vive Dios ! Para venir
sus plantas así a lamer,
mostrándote a un tiempo ajeno
de valor y de honradez.

DON JUAN ¡ Comendador !

DON GONZALO ¡ Miserable !
Tú has robado a mi hija Inés
de su convento, y yo vengo
por tu vida o por mi bien.

DON JUAN Jamás delante de un hombre
mi alta cerviz incliné,
ni he suplicado jamás,
ni a mi padre, ni a mi rey.
Y pues conservo a tus plantas
la postura en que me ves,
considera, don Gonzalo,
que razón debo tener.

DON GONZALO Lo que tienes es pavor
de mi justicia.

DON JUAN ¡ Pardiez !
Oyeme, Comendador,
o tenerme no sabré,
y seré quien siempre he sido,
no queriéndolo ahora ser.

DON GONZALO ¡ Vive Dios !

DON JUAN Comendador,
yo idolatro a doña Inés,
persuadido de que el cielo
me la quiso conceder
para enderezar mis pasos
por el sendero del bien.
No amé la hermosura en ella,
ni sus gracias adoré;

lo que adoro es la virtud,
don Gonzalo, en doña Inés.
Lo que justicias ni obispos
no pudieron de mí hacer
con cárceles y sermones,
lo pudo su candidez.
Su amor me torna en otro hombre,
regenerando mi ser,
y ella puede hacer un ángel
de quien un demonio fué.
Escucha, pues, don Gonzalo,
lo que te puede ofrecer
el audaz don Juan Tenorio
de rodillas a tus pies.
Yo seré esclavo de tu hija,
en tu casa viviré,
tú gobernarás mi hacienda
diciéndome: *Esto ha de ser.*
El tiempo que señalares,
en reclusión estaré;
cuantas pruebas exigieres
de mi audacia o mi altivez,
del modo que me ordenares,
con sumisión te daré.
Y cuando estime tu juicio
que la pueda merecer,
yo la daré un buen esposo,
y ella me dará el Edén.

DON GONZALO Basta, don Juan: no sé cómo
me he podido contener,
oyendo tan torpes pruebas
de tu infame avilantez.
Don Juan, tú eres un cobarde
cuando en la ocasión te ves,
y no hay bajeza a que no oses
como te saque con bien.

DON JUAN ¡Don Gonzalo!

DON GONZALO — Y me avergüenzo
de mirarte así a mis pies,
lo que apostabas por fuerza
suplicando por merced.

DON JUAN — Todo así se satisface,
don Gonzalo, de una vez.

DON GONZALO — ¡ Nunca ! ¡ Nunca ! ¿ Tú su esposo ?
Primero la mataré.
¡ Ea, entregádmela al punto,
o, sin poderme valer,
en esa postura vil
el pecho te cruzaré !

DON JUAN — Míralo bien, don Gonzalo,
que vas a hacerme perder
con ella hasta la esperanza
de mi salvación tal vez.

DON GONZALO — Y ¿ qué tengo yo, don Juan,
con tu salvación que ver ?

DON JUAN — ¡ Comendador, que me pierdes !

DON GONZALO — ¡ Mi hija !

DON JUAN — Considera bien
que por cuantos medios pude
te quise satisfacer;
y que con armas al cinto
tus denuestos toleré,
proponiéndote la paz
de rodillas a tus pies.

ESCENA X

DICHOS. DON LUIS, *soltando una carcajada de burla*

DON LUIS — Muy bien, don Juan.

DON JUAN — ¡ Vive Dios !

DON GONZALO — ¿ Quién es ese hombre ?

DON LUIS — Un testigo

de su miedo, y un amigo,
Comendador, para vos.

DON JUAN ¡ Don Luis !

DON LUIS Ya he visto bastante,
don Juan, para conocer
cuál uso puedes hacer
de tu valor arrogante;
y quien hiere por detrás
y se humilla en la ocasión,
es tan vil como el ladrón
que roba y huye.

DON JUAN ¿ Esto más ?

DON LUIS Y pues la ira soberana
de Dios junta, como ves,
al padre de doña Inés
y al vengador de doña Ana,
mira el fin que aquí te espera
cuando a igual tiempo te alcanza
aquí dentro su venganza
y la justicia allá fuera.

DON GONZALO ¡ Oh ! Ahora comprendo . . . ¿ Sois vos
el que . . . ?

DON LUIS Soy don Luis Mejía,
a quien a tiempo os envía
por vuestra venganza Dios.

DON JUAN ¡ Basta, pues, de tal suplicio !
Si con hacienda y honor
ni os muestro ni doy valor
a mi franco sacrificio,
y la leal solicitud
con que ofrezco cuanto puedo
tomáis ¡ vive Dios ! por miedo
y os mofáis de mi virtud,
os acepto el que me dais,
plazo breve y perentorio,
para mostrarme el Tenorio
de cuyo valor dudáis.

DON LUIS Sea, y cae a nuestros pies
digno al menos de esa fama
que tan por bravo te aclama...

DON JUAN Y venza el infierno, pues.
¡ Ulloa, pues mi alma así
vuelves a hundir en el vicio,
cuando Dios me llame a juicio,
tú responderás por mí !
(*Le da un pistoletazo.*)

DON GONZALO (*Cayendo.*)
¡ Asesino !

DON JUAN Y tú, insensato,
que me llamas vil ladrón,
di en prueba de tu razón
que cara a cara te mato.
(*Riñen, y le da una estocada.*)

DON LUIS (*Cayendo.*)
¡ Jesús !

DON JUAN Tarde tu fe ciega
acude al cielo, Mejía,
y no fué por culpa mía;
pero la justicia llega,
y a fe que ha de ver quién soy.

CIUTTI (*Dentro.*)
¡ Don Juan !

DON JUAN (*Asomando al balcón.*)
¿ Quién es ?

CIUTTI (*Dentro.*) Por aquí;
salvaos.

DON JUAN ¿ Hay paso ?

CIUTTI Sí;
arrojaos.

DON JUAN Allá voy.
Llamé al cielo, y no me oyó,
y pues sus puertas me cierra,
de mis pasos en la tierra
responda el cielo y no yo.

(*Se arroja por el balcón, y se le oye caer en el agua del río, al mismo tiempo que el ruido de los remos muestran la rapidez del barco en que parte; se oyen golpes en las puertas de la habitación; poco después entra la justicia, soldados, etc.*)

ESCENA XI

ALGUACILES. SOLDADOS. *Luego* D.ª INÉS *y* BRÍGIDA

ALGUACIL 1.° El tiro ha sonado aquí.
ALGUACIL 2.° Aun hay humo.
ALGUACIL 1.° ¡ Santo Dios !
Aquí hay un cadáver.
ALGUACIL 2.° Dos.
ALGUACIL 1.° ¿ Y el matador ?
ALGUACIL 2.° Por allí.

(*Abren el cuarto en que están D.ª Inés y Brígida, y las sacan a la escena: D.ª Inés reconoce el cadáver de su padre.*)

ALGUACIL 1.° ¡ Dos mujeres !
DOÑA INÉS ¡ Ah ! ¡ Qué horror !
¡ Padre mío !
ALGUACIL 1.° ¡ Es su hija !
BRÍGIDA Sí.
DOÑA INÉS ¡ Ay ! ¿ Dó estás, don Juan, que aquí
me olvidas en tal dolor ?
ALGUACIL 1.° Él le asesinó.
DOÑA INÉS ¡ Dios mío !
¿ Me guardabas esto más ?
ALGUACIL 2.° Por aquí ese Satanás
se arrojó, sin duda, al río.
ALGUACIL 1.° ¡ Miradlos ! . . . A bordo están
del bergantín calabrés.
TODOS ¡ Justicia por doña Inés !
DOÑA INÉS ¡ Pero no contra don Juan !

FIN DEL ACTO 4.°

SEGUNDA PARTE

SEGUNDA PARTE

ACTO PRIMERO

LA SOMBRA DE DOÑA INÉS

Panteón de la familia Tenorio. — El teatro representa un magnífico cementerio, hermoseado a manera de jardín. En primer término, aislados y de bulto, los sepulcros de D. Gonzalo de Ulloa, de D.ª Inés y de D. Luis Mejía, sobre los cuales se ven sus estatuas de piedra. El sepulcro de D. Gonzalo a la derecha, y su estatua de rodillas; el de don Luis a la izquierda, y su estatua también de rodillas; el de D.ª Inés en el centro, y su estatua de pie. En segundo término otros dos sepulcros en la forma que convenga; y en tercer término, y en puesto elevado, el sepulcro y estatua del fundador, D. Diego Tenorio, en cuya figura remata la perspectiva de los sepulcros. Una pared llena de nichos y lápidas circuye el cuadro hasta el horizonte. Dos llorones a cada lado de la tumba de D.ª Inés, dispuestos a servir de la manera que a su tiempo exige el juego escénico. Cipreses y flores de todas clases embellecen la decoración, que no debe tener nada de horrible. La acción se supone en una tranquila noche de verano, y alumbrada por una clarísima luna.

ESCENA PRIMERA

El Escultor, *disponiéndose a marchar*

Pues señor, es cosa hecha:
el alma del buen don Diego
puede, a mi ver, con sosiego
reposar muy satisfecha.
La obra está rematada

con cuanta suntuosidad
su postrera voluntad
dejó al mundo encomendada.
Y ya quisieran ¡ pardiez !
todos los ricos que mueren,
que su voluntad cumplieren
los vivos, como esta vez.
Mas ya de marcharme es hora:
todo corriente lo dejo,
y de Sevilla me alejo
al despuntar de la aurora.
¡ Ah ! Mármoles que mis manos
pulieron con tanto afán,
mañana os contemplarán
los absortos sevillanos,
y al mirar de este panteón
las gigantes proporciones,
tendrán las generaciones
la nuestra en veneración.
Mas yendo y viniendo días,
se hundirán unas tras otras,
mientra en pie estaréis vosotras,
póstumas memorias mías.
¡ Oh ! Frutos de mis desvelos,
peñas a quien yo animé,
y por quienes arrostré
la intemperie de los cielos;
el que forma y ser os dió,
va ya a perderos de vista:
velad mi gloria de artista,
pues viviréis más que yo.
Mas ¿ quién llega ?

ESCENA II

EL ESCULTOR *y* D. JUAN, *que entra embozado*

ESCULTOR — Caballero . . .
DON JUAN — Dios le guarde.
ESCULTOR — Perdonad,
mas ya es tarde, y . . .
DON JUAN — Aguardad
un instante, porque quiero
que me expliquéis . . .
ESCULTOR — Por acaso,
¿ sois forastero ?
DON JUAN — Años ha
que falto de España ya,
y me chocó el ver al paso,
cuando a esas rejas llegué,
que encontraba este recinto
enteramente distinto
de cuando yo le dejé.
ESCULTOR — Ya lo creo; como que esto
era entonces un palacio,
y hoy es panteón el espacio
donde aquél estuvo puesto.
DON JUAN — ¡ El palacio hecho panteón !
ESCULTOR — Tal fué de su antiguo dueño
la voluntad, y fué empeño
que dió al mundo admiración.
DON JUAN — Y ¡ por Dios, que es de admirar !
ESCULTOR — Es una famosa historia,
a la cual debo mi gloria.
DON JUAN — ¿ Me la podéis relatar ?
ESCULTOR — Sí, aunque muy sucintamente,
pues me aguardan.
DON JUAN — Sea.
ESCULTOR — Oíd
la verdad pura.

DON JUAN — Decid,
que me tenéis impaciente

ESCULTOR — Pues habitó esta ciudad
y este palacio, heredado,
un varón muy estimado
por su noble calidad.

DON JUAN — Don Diego Tenorio.

ESCULTOR — El mismo.
Tuvo un hijo este don Diego,
peor mil veces que el fuego,
un aborto del abismo;
un mozo sangriento y cruel,
que con tierra y cielo en guerra,
dicen que nada en la tierra
fué respetado por él.
Quimerista, seductor
y jugador con ventura,
no hubo para él segura
vida, ni hacienda, ni honor.
Así le pinta la historia,
y si tal era, por cierto
que obró cuerdamente el muerto
para ganarse la gloria.

DON JUAN — Pues ¿ cómo obró ?

ESCULTOR — Dejó entera
su hacienda al que la empleara
en un panteón que asombrara
a la gente venidera;
mas con condición, que dijo
que se enterraran en él
los que a la mano cruel
sucumbieron de su hijo.
Y mirad en derredor
los sepulcros de los más
de ellos.

DON JUAN — Y vos, ¿ sois quizás
el conserje ?

ESCULTOR El escultor
de estas obras encargado.
DON JUAN ¡Ah! Y ¿las habéis concluído?
ESCULTOR Ha un mes; mas me he detenido
hasta ver ese enverjado
colocado en su lugar,
pues he querido impedir
que pueda el vulgo venir
este sitio a profanar.
DON JUAN (*Mirando.*)
¡Bien empleó sus riquezas
el difunto!
ESCULTOR ¡Ya lo creo!
Miradle allí.
DON JUAN Ya le veo
ESCULTOR ¿Le conocisteis?
DON JUAN Sí.
ESCULTOR Piezas
son todas muy parecidas,
y a conciencia trabajadas.
DON JUAN ¡Cierto que son extremadas!
ESCULTOR ¿Os han sido conocidas
las personas?
DON JUAN Todas ellas.
ESCULTOR Y ¿os parecen bien?
DON JUAN Sin duda,
según lo que a ver me ayuda
el fulgor de las estrellas.
ESCULTOR ¡Oh! Se ven como de día
con esta luna tan clara.
Ésta es mármol de Carrara.
(*Señalando a la de D. Luis.*)
DON JUAN ¡Buen busto es el de Mejía!
¡Hola! Aquí el Comendador
se representa muy bien.
ESCULTOR Yo quise poner también
la estatua del matador

entre sus víctimas, pero
no pude a manos haber
su retrato. Un Lucifer
dicen que era el caballero
don Juan Tenorio.

DON JUAN ¡ Muy malo !
Mas, como pudiera hablar,
le había algo de abonar
la estatua de don Gonzalo.

ESCULTOR ¿ También habéis conocido
a don Juan?

DON JUAN Mucho.

ESCULTOR Don Diego
le abandonó desde luego,
desheredándole.

DON JUAN Ha sido
para don Juan poco daño
ése, porque la fortuna
va tras él desde la cuna.

ESCULTOR Dicen que ha muerto.

DON JUAN Es engaño;
vive.

ESCULTOR Y ¿ dónde?

DON JUAN Aquí, en Sevilla.

ESCULTOR Y ¿ no teme que el furor
popular . . . ?

DON JUAN En su valor
no ha echado el miedo semilla.

ESCULTOR Mas cuando vea el lugar
en que está ya convertido
el solar que suyo ha sido,
no osará en Sevilla estar.

DON JUAN Antes ver tendrá a fortuna
en su casa reunidas
personas de él conocidas,
puesto que no odia a ninguna.

ESCULTOR ¿ Creéis que ose aquí venir?

Don Juan ¿Por qué no? Pienso, a mi ver,
que donde vino a nacer
justo es que venga a morir.
Y pues le quitan su herencia
para enterrar a éstos bien,
a él es muy justo también
que le entierren con decencia.

Escultor Sólo a él le está prohibida
en este panteón la entrada.

Don Juan Trae don Juan muy buena espada,
y no sé quién se lo impida.

Escultor ¡Jesús! ¡Tal profanación!

Don Juan Hombre es don Juan que, a querer,
volverá el palacio a hacer
encima del panteón.

Escultor ¿Tan audaz ese hombre es,
que aun a los muertos se atreve?

Don Juan ¿Qué respetos gastar debe
con los que tendió a sus pies?

Escultor Pero ¿no tiene conciencia
ni alma ese hombre?

Don Juan Tal vez no,
que al cielo una vez llamó
con voces de penitencia,
y el cielo en trance tan fuerte
allí mismo le metió,
que a dos inocentes dió,
para salvarse, la muerte.

Escultor ¡Qué monstruo, supremo Dios!

Don Juan Podéis estar convencido
de que Dios no le ha querido.

Escultor Tal será.

Don Juan Mejor que vos.

Escultor (*Aparte.*) (Y ¿quién será el que a don Juan
abona con tanto brío?)
Caballero, a pesar mío,
como aguardándome están . . .

DON JUAN Idos, pues, enhorabuena.
ESCULTOR He de cerrar.
DON JUAN No cerréis,
y marchaos.
ESCULTOR Mas ¿ no veis . . . ?
DON JUAN Veo una noche serena,
y un lugar que me acomoda
para gozar su frescura,
y aquí he de estar a mi holgura
si pesa a Sevilla toda.
ESCULTOR (*Aparte.*)
¿ Si acaso padecerá
de locura desvaríos?
DON JUAN (*Dirigiéndose a las estatuas.*)
¡ Ya estoy aquí, amigos míos !
ESCULTOR ¿ No lo dije? Loco está.
DON JUAN Mas ¡ cielos ! ¿ Qué es lo que veo?
¡ O es ilusión de mi vista,
o a doña Inés el artista
aquí representa creo !
ESCULTOR Sin duda.
DON JUAN ¿ También murió?
ESCULTOR Dicen que de sentimiento
cuando de nuevo al convento
abandonada volvió
por don Juan.
DON JUAN Y ¿ yace aquí?
ESCULTOR Sí.
DON JUAN ¿ La visteis muerta vos?
ESCULTOR Sí.
DON JUAN ¿ Cómo estaba?
ESCULTOR ¡ Por Dios,
que dormida la creí !
La muerte fué tan piadosa
con su cándida hermosura,
que la envió con la frescura
y las tintas de la rosa.

DON JUAN ¡ Ah ! ¡ Mal la muerte podría
deshacer con torpe mano
el semblante soberano
que un ángel envidiaría !
¡ Cuán bella y cuán parecida
su efigie en el mármol es !
¡ Quién pudiera, doña Inés,
volver a darte la vida !
¿ Es obra del cincel vuestro ?

ESCULTOR Como todas las demás.

DON JUAN Pues bien merece algo más
un retrato tan maestro.
Tomad.

ESCULTOR ¿ Qué me dais aquí ?

DON JUAN ¿ No lo veis ?

ESCULTOR Mas . . . caballero . . . ,
¿ por qué razón ? . . .

DON JUAN Porque quiero
yo que os acordéis de mí.

ESCULTOR Mirad que están bien pagadas.

DON JUAN Así lo estarán mejor.

ESCULTOR Mas vamos de aquí, señor,
que aun las llaves entregadas
no están, y al salir la aurora
tengo que partir de aquí.

DON JUAN Entregádmelas a mí,
y marchaos desde ahora.

ESCULTOR ¿ A vos ?

DON JUAN A mí: ¿ qué dudáis ?

ESCULTOR Como no tengo el honor . . .

DON JUAN Ea, acabad, escultor.

ESCULTOR Si el nombre al menos que usáis
supiera . . .

DON JUAN ¡ Viven los cielos !
Dejad a don Juan Tenorio
velar el lecho mortuorio
en que duermen sus abuelos.

ESCULTOR ¡ Don Juan Tenorio !
DON JUAN Yo soy.
Y si no me satisfaces,
compañía juro que haces
a tus estatuas desde hoy.
ESCULTOR (*Alargándole las llaves.*)
Tomad.
(*Aparte.*)
No quiero la piel
dejar aquí entre sus manos.
Ahora, que los sevillanos
se las compongan con él.
(*Vase.*)

ESCENA III

DON JUAN

Mi buen padre empleó en esto
entera la hacienda mía;
hizo bien; yo al otro día
la hubiera a una carta puesto.
(*Pausa.*)
No os podréis quejar de mí,
vosotros a quien maté;
si buena vida os quité,
buena sepultura os dí.
¡ Magnífica es, en verdad,
la idea del tal panteón !
Y . . . siento que el corazón
me halaga esta soledad.
¡ Hermosa noche ! . . . ¡ Ay de mí !
¡ Cuántas como ésta tan puras,
en infames aventuras
desatinado perdí !
¡ Cuántas, al mismo fulgor

de esa luna transparente,
arranqué a algún inocente
la existencia o el honor!
Sí; después de tantos años,
cuyos recuerdos espantan,
siento que aquí se levantan
(*Señalando a la frente.*)
pensamientos en mí extraños.
¡Oh! ¡Acaso me los inspira
desde el cielo, en donde mora.
esa sombra protectora
que por mi mal no respira!
(*Se dirige a la estatua de D.ª Inés, hablándola con respeto.*)
Mármol en quien doña Inés
en cuerpo sin alma existe,
deja que el alma de un triste
llore un momento a tus pies.
De azares mil a través
conservé tu imagen pura,
y pues la mala ventura
te asesinó de don Juan,
contempla con cuánto afán
vendrá hoy a tu sepultura.
En ti nada más pensó
desde que se fué de ti;
y desde que huyó de aquí,
sólo en volver meditó.
Don Juan tan sólo esperó
de doña Inés su ventura,
y hoy que en pos de su hermosura
vuelve el infeliz don Juan,
mira cuál será su afán
al dar con tu sepultura.
Inocente doña Inés,
cuya hermosa juventud
encerró en el ataúd

quien llorando está a tus pies;
si de esa piedra a través
puedes mirar la amargura
del alma que tu hermosura
adoró con tanto afán,
prepara un lado a don Juan
en tu misma sepultura.
Dios te crió por mi bien;
por ti pensé en la virtud;
adoré su excelsitud,
y anhelé su santo Edén.
Sí; aun hoy mismo en ti también
mi esperanza se asegura,
y oigo una voz que murmura
en derredor de don Juan
palabras con que su afán
se calma en tu sepultura.
¡ Oh, doña Inés de mi vida !
Si esa voz con quien deliro
es el postrimer suspiro
de tu eterna despedida;
si es que de ti desprendida
llega esa voz a la altura,
y hay un Dios tras de esa anchura
por donde los astros van,
dile que mire a don Juan
llorando en tu sepultura.

(*Se apoya en el sepulcro, ocultando el rostro; y mientras se conserva en esta postura, un vapor que se levanta del sepulcro oculta la estatua de D.ª Inés. Cuando el vapor se desvanece, la estatua ha desaparecido Don Juan sale de su enajenamiento.*)

Este mármol sepulcral
adormece mi vigor,
y sentir creo en redor
un ser sobrenatural.

Mas . . . ¡ cielos ! ¡ El pedestal
no mantiene su escultura !
¿ Qué es esto ? Aquella figura,
¿ fué creación de mi afán ?

ESCENA IV

DON JUAN. LA SOMBRA DE D.ª INÉS. El llorón y las flores de la izquierda del sepulcro de D.ª Inés se cambian en una apariencia, dejando ver dentro de ella, y en medio de resplandores, la sombra de D.ª Inés

SOMBRA No; mi espíritu, don Juan
te aguardó en mi sepultura.

DON JUAN (*De rodillas.*)
¡ Doña Inés ! ¡ Sombra querida,
alma de mi corazón,
no me quites la razón
si me has de dejar la vida !
Si eres imagen fingida,
sólo hija de mi locura,
no aumentes mi desventura
burlando mi loco afán.

SOMBRA Yo soy doña Inés, don Juan,
que te oyó en su sepultura.

DON JUAN ¿ Conque vives ?

SOMBRA Para ti;
mas tengo mi purgatorio
en ese mármol mortuorio
que labraron para mí.
Yo a Dios mi alma ofrecí
en precio de tu alma impura.
y Dios, al ver la ternura
con que te amaba mi afán,
me dijo: « Espera a don Juan
en tu misma sepultura.
Y pues quieres ser tan fiel

a un amor de Satanás,
con don Juan te salvarás,
o te perderás con él.
Por él vela; mas si cruel
te desprecia tu ternura,
y en su torpeza y locura
sigue con bárbaro afán,
llévese tu alma don Juan
de tu misma sepultura. »

DON JUAN (*Fascinado.*)
¡Yo estoy soñando quizás
con las sombras de un Edén!

SOMBRA
No; y ve que si piensas bien,
a tu lado me tendrás;
mas si obras mal, causarás
nuestra eterna desventura.
Y medita con cordura
que es esta noche, don Juan,
el espacio que nos dan
para buscar sepultura.
Adiós, pues; y en la ardua lucha
en que va a entrar tu existencia,
de tu dormida conciencia
la voz que va a alzarse escucha,
porque es de importancia mucha
meditar con sumo tiento
la elección de aquel momento
que, sin poder evadirnos,
al mal o al bien ha de abrirnos
la losa del monumento.

(*Ciérrase la apariencia; desaparece D.ª Inés, y todo queda como al principio del acto, menos la estatua de D.ª Inés, que no vuelve a su lugar. Don Juan queda atónito.*)

ESCENA V

DON JUAN

¡ Cielos ! ¿ Qué es lo que escuché ?
¡ Hasta los muertos así
dejan sus tumbas por mí !
Mas . . . sombra, delirio fué.
Yo en mi mente lo forjé;
la imaginación le dió
la forma en que se mostró,
y ciego, vine a creer
en la realidad de un ser
que mi mente fabricó.
Mas nunca de modo tal
fanatizó mi razón
mi loca imaginación
con su poder ideal.
Sí; algo sobrenatural
vi en aquella doña Inés
tan vaporosa, a través
aun de esa enramada espesa;
mas . . . ¡ bah ! circunstancia es ésa
que propia de sombra es.
¿ Qué más diáfano y sutil
que las quimeras de un sueño ?
¿ Dónde hay nada más risueño,
más flexible y más gentil ?
Y ¿ no pasa veces mil
que, en febril exaltación,
ve nuestra imaginación
como ser y realidad
la vacía vanidad
de una anhelada ilusión ?
Sí, ¡ por Dios ! ¡ Delirio fué !
Mas su estatua estaba aquí.
Sí; yo la ví y la toqué,

y aun en albricias le dí
al escultor no sé qué.
¡ Y ahora sólo el pedestal
veo en la urna funeral !
¡ Cielos ! ¿ La mente me falta,
o de improviso me asalta
algún vértigo infernal ?
¿ Qué dijo aquella visión ?
¡ Oh ! Yo la oí claramente,
y su voz triste y doliente
resonó en mi corazón.
¡ Ah ! ¡ Y breves las horas son
del plazo que nos augura !
No, no; ¡ de mi calentura
delirio insensato es !
Mi fiebre fué a doña Inés
quien abrió la sepultura.
¡ Pasad, y desvaneceos;
pasad, siniestros vapores
de mis perdidos amores
y mis fallidos deseos !
¡ Pasad, vanos devaneos
de un amor muerto al nacer;
no me volváis a traer
entre vuestro torbellino,
ese fantasma divino
que recuerda a una mujer !
¡ Ah ! ¡ Estos sueños me aniquilan;
mi cerebro se enloquece . . .
y esos mármoles parece
que estremecidos vacilan !
(*Las estatuas se mueven lentamente, y vuelven la cabeza hacia él.*)
Sí, sí; ¡ sus bustos oscilan,
su vago contorno medra !
Pero don Juan no se arredra:
¡ alzaos, fantasmas vanos,

y os volveré con mis manos
a vuestros lechos de piedra!
No; no me causan pavor
vuestros semblantes esquivos;
jamás, ni muertos ni vivos,
humillaréis mi valor.
Yo soy vuestro matador,
como al mundo es bien notorio;
si en vuestro alcázar mortuorio
me aprestáis venganza fiera,
daos prisa, que aquí os espera
otra vez don Juan Tenorio.

ESCENA VI

DON JUAN, EL CAPITÁN CENTELLAS *y* AVELLANEDA

CENTELLAS (*Dentro.*)
¿Don Juan Tenorio?
DON JUAN (*Volviendo en sí.*) ¿Qué es eso?
¿Quién me repite mi nombre?
AVELLANEDA (*Saliendo.*)
¿Veis a alguien?
(*A Centellas.*)
CENTELLAS (*Idem.*)
Sí; allí hay un hombre.
DON JUAN ¿Quién va?
AVELLANEDA Él es.
CENTELLAS (*Yéndose a D. Juan.*) Yo pierdo el seso
con la alegría. ¡Don Juan!
AVELLANEDA ¡Señor Tenorio!
DON JUAN ¡Apartaos,
vanas sombras!
CENTELLAS Reportaos,
señor don Juan... Los que están
en vuestra presencia ahora,

no son sombras, hombres son,
y hombres cuyo corazón
vuestra amistad atesora.
A la luz de las estrellas
os hemos reconocido,
y un abrazo hemos venido
a daros.

DON JUAN — Gracias, Centellas.

CENTELLAS — Mas ¿ qué tenéis? ¡ Por mi vida,
que os tiembla el brazo, y está
vuestra faz descolorida!

DON JUAN (*Recobrando su aplomo.*)
La luna tal vez lo hará.

AVELLANEDA — Mas, don Juan, ¿ qué hacéis aquí?
¿ Este sitio conocéis?

DON JUAN — ¿ No es un panteón?

CENTELLAS — Y ¿ sabéis
a quién pertenece?

DON JUAN — A mí;
mirad a mi alrededor,
y no veréis más que amigos
de mi niñez, o testigos
de mi audacia y mi valor.

CENTELLAS — Pero os oímos hablar:
¿ con quién estabais?

DON JUAN — Con ellos.

CENTELLAS — ¿ Venís aún a escarnecellos?

DON JUAN — No; los vengo a visitar.
Mas un vértigo insensato
que la mente me asaltó,
un momento me turbó;
y a fe que me dió un mal rato.
Esos fantasmas de piedra
me amenazaban tan fieros,
que a mí acercado no haberos
pronto . . .

CENTELLAS — ¡ Ja, ja, ja! ¿ Os arredra,

don Juan, como a los villanos,
el temor de los difuntos?

DON JUAN — No a fe; contra todos juntos
tengo aliento y tengo manos.
Si volvieran a salir
de las tumbas en que están,
a las manos de don Juan
volverían a morir.
Y desde aquí en adelante
sabed, señor Capitán;
que yo soy siempre don Juan,
y no hay cosa que me espante.
Un vapor calenturiento
un punto me fascinó,
Centellas, mas ya pasó;
cualquiera duda un momento.

AVELLANEDA *y* CENTELLAS
Es verdad.

DON JUAN — Vamos de aquí.

CENTELLAS — Vamos, y nos contaréis
cómo a Sevilla volvéis
tercera vez.

DON JUAN — Lo haré así.
Si mi historia os interesa,
a fe que oírse merece,
aunque mejor me parece
que la oigáis de sobremesa.
¿ No opináis . . . ?

AVELLANEDA *y* CENTELLAS
Como gustéis.

DON JUAN — Pues bien; cenaréis conmigo,
y en mi casa.

CENTELLAS — Pero digo:
¿ es cosa de que dejéis
algún huésped por nosotros?
¿ No tenéis gato encerrado?

DON JUAN — ¡ Bah! Si apenas he llegado;

no habrá allí más que vosotros
esta noche.

CENTELLAS — Y ¿ no hay tapada
a quien algún plantón demos ?

DON JUAN — Los tres solos cenaremos.
Digo, si de esta jornada
no quiere igualmente ser
alguno de éstos.
(*Señalando a las estatuas de los sepulcros.*)

CENTELLAS — Don Juan,
dejad tranquilos yacer
a los que con Dios están.

DON JUAN — ¡ Hola ! ¿ Parece que vos
sois ahora el que teméis,
y mala cara ponéis
a los muertos ? Mas ¡ por Dios !
que ya que de mí os burlasteis
cuando me visteis así,
en lo que penda de mí
os mostraré cuánto errasteis.
Por mí, pues, no ha de quedar;
y, a poder ser, estad ciertos
que cenaréis con los muertos,
y os los voy a convidar.

AVELLANEDA — Dejaos de esas quimeras.

DON JUAN — ¿ Duda en mi valor ponerme,
cuando hombre soy para hacerme
platos de sus calaveras ?
Yo a nada tengo pavor:
(*Dirigiéndose a la estatua de D. Gonzalo,
que es la que tiene más cerca.*)
tú eres el más ofendido;
mas, si quieres, te convido
a cenar, Comendador.
Que no lo puedas hacer
creo, y es lo que me pesa;
mas, por mi parte, en la mesa

te haré un cubierto poner.
Y a fe que favor me harás,
pues podré saber de ti
si hay más mundo que el de aquí
y otra vida en que jamás,
a decir verdad, creí.

CENTELLAS Don Juan, eso no es valor;
locura, delirio es.

DON JUAN Como lo juzguéis mejor;
yo cumplo así. Vamos, pues.
Lo dicho, Comendador.

FIN DEL ACTO 1.°

ACTO SEGUNDO

LA ESTATUA DE DON GONZALO

Aposento de D. Juan Tenorio. — Dos puertas en el fondo a derecha e izquierda, preparadas para el juego escénico del acto. Otra puerta en el bastidor que cierra la decoración por la izquierda. Ventana en el de la derecha. — Al alzarse el telón están sentados a la mesa, D. Juan, Centellas y Avellaneda. La mesa ricamente servida; el mantel cogido con guirnaldas de flores, etc. Enfrente del espectador, D. Juan, y a su izquierda Avellaneda; en el lado izquierdo de la mesa, Centellas, y en el de enfrente de éste, una silla y un cubierto desocupados.

ESCENA PRIMERA

Don Juan, El Capitán Centellas, Avellaneda, Ciutti *y* Un Paje

Don Juan — Tal es mi historia, señores;
pagado de mi valor,
quiso el mismo Emperador
dispensarme sus favores.
Y aunque oyó mi historia entera,
dijo: « Hombre de tanto brío
merece el amparo mío;
vuelva a España cuando quiera »;
y heme aquí en Sevilla ya.

Centellas — Y ¡ con qué lujo y riqueza !

Don Juan — Siempre vive con grandeza
quien hecho a grandeza está.

Centellas — A vuestra vuelta.

Don Juan — Bebamos.

Centellas — Lo que no acierto a creer

es cómo, llegando ayer,
ya establecido os hallamos.

DON JUAN Fué el adquirirme, señores,
tal casa con tal boato,
porque se vendió a barato
para pago de acreedores;
y como al llegar aquí
desheredado me hallé,
tal como está la compré.

CENTELLAS ¿Amueblada y todo?

DON JUAN Sí;
un necio, que se arruinó
por una mujer, vendióla.

CENTELLAS Y ¿vendió la hacienda sola?

DON JUAN Y el alma al diablo.

CENTELLAS ¿Murió?

DON JUAN De repente; y la justicia,
que iba a hacer de cualquier modo
pronto despacho de todo,
viendo que yo su codicia
saciaba, pues los dineros
ofrecía dar al punto,
cedióme el caudal por junto
y estafó a los usureros.

CENTELLAS Y la mujer, ¿qué fué de ella?

DON JUAN Un escribano la pista
la siguió, pero fué lista
y escapó.

CENTELLAS ¿Moza?

DON JUAN Y muy bella.

CENTELLAS Entrar hubiera debido
en los muebles de la casa.

DON JUAN Don Juan Tenorio no pasa
moneda que se ha perdido.
Casa y bodega he comprado;
dos cosas que, no os asombre,
pueden bien hacer a un hombre

vivir siempre acompañado;
como lo puede mostrar
vuestra agradable presencia,
que espero que con frecuencia
me hagáis ambos disfrutar.

CENTELLAS Y nos haréis honra inmensa.

DON JUAN Y a mí vos. Ciutti...

CIUTTI Señor...

DON JUAN Pon vino al Comendador.
(*Señalando al vaso del puesto vacío.*)

CENTELLAS Don Juan, ¿ aun en eso piensa
vuestra locura ?

DON JUAN Sí, ¡ a fe !
Que si él no puede venir,
de mí, no podréis decir
que en ausencia no le honré.

CENTELLAS ¡ Ja, ja, ja ! Señor Tenorio,
creo que vuestra cabeza
va menguando en fortaleza.

DON JUAN Fuera en mí contradictorio
y ajeno de mi hidalguía
a un amigo convidar,
y no guardar el lugar
mientras que llegar podría.
Tal ha sido mi costumbre
siempre, y siempre ha de ser ésa;
y al mirar sin él la mesa,
me da, en verdad, pesadumbre,
porque si el Comendador
es difunto tan tenaz
como vivo, es muy capaz
de seguirnos el humor.

CENTELLAS Brindemos a su memoria,
y más en él no pensemos.

DON JUAN Sea.

CENTELLAS Brindemos.

AVELLANEDA *y* D. JUAN Brindemos.

CENTELLAS A que Dios le dé su gloria.
DON JUAN Mas yo, que no creo que haya
más gloria que ésta mortal,
no hago mucho en brindis tal;
mas por complaceros, ¡ vaya !
Y brindo a que Dios te dé
la gloria, Comendador.
(*Mientras beben, se oye lejos un aldabonazo, que se supone dado en la puerta de la calle.*)
Mas ¿ llamaron ?
CIUTTI Sí, señor.
DON JUAN Ve quién.
CIUTTI (*Asomando por la ventana.*)
A nadie se ve.
¿ Quién va allá ? Nadie responde.
CENTELLAS Algún chusco.
AVELLANEDA Algún menguado
que al pasar habrá llamado,
sin mirar siquiera dónde.
DON JUAN (*A Ciutti.*)
Pues cierra y sirve licor.
(*Llamando otra vez más recio.*)
Mas llamaron otra vez.
CIUTTI Sí.
DON JUAN Vuelve a mirar.
CIUTTI ¡ Pardiez !
A nadie veo, señor.
DON JUAN Pues ¡ por Dios, que del bromazo,
quien es, no se ha de alabar !
Ciutti, si vuelve a llamar,
suéltale un pistoletazo.
(*Llaman otra vez y se oye un poco más cerca.*)
¿ Otra vez ?
CIUTTI ¡ Cielos !
AVELLANEDA *y* CENTELLAS
¿ Qué pasa ?
CIUTTI Que esa aldabada postrera

ha sonado en la escalera,
no en la puerta de la casa.

AVELLANEDA *y* CENTELLAS (*Levantándose asombrados.*)
¿ Qué dices ?

CIUTTI Digo lo cierto,
nada más; dentro han llamado
de la casa.

DON JUAN ¿ Qué os ha dado ?
¿ Pensáis que sea el muerto ?
Mis armas cargué con bala;
Ciutti, sal a ver quién es.
(*Vuelven a llamar más cerca.*)

AVELLANEDA ¿ Oísteis ?

CIUTTI ¡ Por San Ginés,
que eso ha sido en la antesala !

DON JUAN ¡ Ah ! Ya lo entiendo; me habéis
vosotros mismos dispuesto
esta comedia, supuesto
que lo del muerto sabéis.

AVELLANEDA Yo os juro, don Juan . . .

CENTELLAS Y yo.

DON JUAN ¡ Bah ! Diera en ello el más topo;
y apuesto a que ese galopo
los medios para ello os dió.

AVELLANEDA Señor don Juan, escondido
algún misterio hay aquí.
(*Vuelven a llamar más cerca.*)

CENTELLAS ¡ Llamaron otra vez !

CIUTTI Sí,
y ya en el salón ha sido.

DON JUAN ¡ Ya ! Mis llaves en manojo
habréis dado a la fantasma,
y que entre así no me pasma;
mas no saldrá a vuestro antojo,
ni me han de impedir cenar
vuestras farsas desdichadas.
(*Se levanta, y corre los cerrojos de la puerta del fondo, volviendo a su lugar.*)

Ya están las puertas cerradas;
ahora el coco, para entrar,
tendrá que echarlas al suelo,
y en el punto que lo intente,
que con los muertos se cuente,
y apele después al cielo.

CENTELLAS ¡ Qué diablos, tenéis razón !

DON JUAN Pues ¿ no temblabais ?

CENTELLAS Confieso
que, en tanto que no dí en eso,
tuve un poco de aprensión.

DON JUAN ¿ Declaráis, pues, vuestro enredo ?

AVELLANEDA Por mi parte, nada sé.

CENTELLAS Ni yo.

DON JUAN Pues yo volveré
contra el inventor el miedo.
Mas sigamos con la cena;
vuelva cada uno a su puesto,
que luego sabremos de esto.

AVELLANEDA Tenéis razón.

DON JUAN (*Sirviendo a Centellas.*)
Cariñena;
sé que os gusta, Capitán.

CENTELLAS Como que somos paisanos.

DON JUAN (*A Avellaneda, sirviéndole de otra botella.*)
Jerez a los sevillanos,
don Rafael.

AVELLANEDA Hais, don Juan,
dado a entrambos por el gusto;
mas ¿ con cuál brindaréis vos ?

DON JUAN Yo haré justicia a los dos.

CENTELLAS Vos siempre estáis en lo justo

DON JUAN Sí a fe; bebamos.

AVELLANEDA *y* CENTELLAS
Bebamos.

(*Llaman a la misma puerta de la escena fondo derecha.*)

DON JUAN Pesada me es ya la broma,
mas veremos quién asoma
mientras en la mesa estamos.
(*A Ciutti, que se manifiesta asombrado.*)
Y ¿ qué haces tú ahí, bergante ?
¡ Listo ! Trae otro manjar;
(*Vase Ciutti.*)
Mas me ocurre en este instante
que nos podemos mofar
de los de afuera, invitándoles
a probar su sutileza,
entrándose hasta esta pieza
y sus puertas no franqueándoles.

AVELLANEDA Bien dicho.

CENTELLAS Idea brillante.
(*Llaman fuerte, fondo derecha.*)

DON JUAN Señores, ¿a qué llamar ?
Los muertos se han de filtrar
por la pared; adelante.
(*La estatua de D. Gonzalo pasa por la puerta sin abrirla y sin hacer ruido.*)

ESCENA II

DON JUAN, CENTELLAS, AVELLANEDA *y* LA ESTATUA DE D. GONZALO

CENTELLAS ¡ Jesús !

AVELLANEDA ¡ Dios mío !

DON JUAN ¡ Qué es esto !

AVELLANEDA Yo desfallezco.
(*Cae desvanecido.*)

CENTELLAS Yo expiro.
(*Cae lo mismo.*)

DON JUAN ¡ Es realidad, o deliro !
Es su figura . . . , su gesto.

ESTATUA ¿ Por qué te causa pavor
quien convidado a tu mesa
viene por ti?

DON JUAN ¡ Dios ! ¿ No es esa
la voz del Comendador?

ESTATUA Siempre supuse que aquí
no me habías de esperar.

DON JUAN Mientes, porque hice arrimar
esa silla para ti.
Llega, pues, para que veas
que, aunque dudé en un extremo
de sorpresa, no te temo,
aunque el mismo Ulloa seas.

ESTATUA ¿ Aun lo dudas?

DON JUAN No lo sé.

ESTATUA Pon, si quieres, hombre impío,
tu mano en el mármol frío
de mi estatua.

DON JUAN ¿ Para qué?
Me basta oírlo de ti;
cenemos, pues, mas te advierto . . .

ESTATUA ¿ Qué?

DON JUAN Que si no eres el muerto,
lo vas a salir de aquí.
(*A Centellas y a Avellaneda.*)
¡ Eh ! Alzad.

ESTATUA No pienses, no,
que se levanten, don Juan,
porque en sí no volverán
hasta que me ausente yo;
que la divina clemencia
del Señor para contigo,
no requiere más testigo
que tu juicio y tu conciencia.
Al sacrílego convite
que me has hecho en el panteón,
para alumbrar tu razón,

Dios asistir me permite.
Y heme que vengo en su nombre
a enseñarte la verdad,
y es: que hay una eternidad
tras de la vida del hombre.
Que numerados están
los días que has de vivir,
y que tienes que morir
mañana mismo, don Juan.
Mas como esto que a tus ojos
está pasando, supones
ser del alma aberraciones
y de la aprensión antojos,
Dios, en su santa clemencia,
te concede todavía
un plazo hasta el nuevo día
para ordenar tu conciencia.
Y su justicia infinita,
porque conozcas mejor,
espero de tu valor
que me pagues la visita.
¿ Irás, don Juan?

DON JUAN Iré, sí;
mas me quiero convencer
de lo vago de tu ser
antes que salgas de aquí.
(*Coge una pistola.*)

ESTATUA Tu necio orgullo delira,
don Juan; los hierros más gruesos
y los muros más espesos
se abren a mi paso; mira.
(*Desaparece la estatua sumiéndose por la pared.*)

ESCENA III

DON JUAN, CENTELLAS *y* AVELLANEDA

DON JUAN ¡ Cielos ! ¡ Su esencia se trueca,
el muro hasta penetrar,
cual mancha de agua que seca
el ardor canicular !
¿ No me dijo : « El mármol toca
de mi estatua » ? ¿ Cómo, pues,
se desvanece una roca ?
¡ Imposible ! Ilusión es.
Acaso su antiguo dueño
mis cubas envenenó,
y el licor tan vano ensueño
en mi mente levantó.
Mas si éstas que sombras creo
espíritus reales son
que por celestial empleo
llaman a mi corazón,
entonces, para que iguale
su penitencia don Juan
con sus delitos, ¿ qué vale
el plazo ruin que le dan . . . ?
¡ Dios me da tan sólo un día . . . !
Si fuese Dios en verdad,
a más distancia pondría
su aviso a mi eternidad.
« Piensa bien, que al lado tuyo
me tendrás . . ., » dijo de Inés
la sombra; y si bien arguyo,
pues no la veo, sueño es.
(*Transparéntase en la pared la sombra de D.ª Inés.*)

ESCENA IV

DON JUAN, LA SOMBRA DE D.ª INÉS; CENTELLAS *y* AVELLANEDA, *dormidos*

SOMBRA — Aquí estoy.
DON JUAN — ¡ Cielos !
SOMBRA — Medita
lo que al buen Comendador
has oído, y ten valor
para acudir a su cita.
Un punto se necesita
para morir con ventura;
elígele con cordura,
porque mañana, don Juan,
nuestros cuerpos dormirán
en la misma sepultura.
(*Desaparece la sombra.*)

ESCENA V

DON JUAN, CENTELLAS *y* AVELLANEDA

DON JUAN — Tente, doña Inés, espera,
y si me amas en verdad,
hazme al fin la realidad
distinguir de la quimera.
Alguna más duradera
señal dame, que, segura,
me pruebe que no es locura
lo que imagina mi afán,
para que baje don Juan
tranquilo a la sepultura.
Mas ya me irrita ¡ por Dios !
el verme siempre burlado,
corriendo desatentado

de varias sombras en pos.
¡ Oh ! Tal vez todo esto ha sido
por estos dos preparado,
y mientras se ha ejecutado,
su privación han fingido.
Mas ¡ por Dios, que si es así,
se han de acordar de don Juan !
¡ Eh ! Don Rafael, Capitán,
ya basta; alzaos de ahí.

(*Don Juan mueve a Centellas y a Avellaneda, que se levantan como quien vuelve de un profundo sueño.*)

CENTELLAS ¿ Quién va ?
DON JUAN Levantad.
AVELLANEDA ¿ Qué pasa ?
¡ Hola ! ¿ Sois vos ?
CENTELLAS ¿ Dónde estamos ?
DON JUAN Caballeros, claros vamos.
Yo os he traído a mi casa,
y temo que a ella al venir,
con artificio apostado,
habéis, sin duda, pensado
a costa mía reir;
mas basta ya de ficción,
y concluid de una vez.
CENTELLAS Yo no os entiendo.
AVELLANEDA ¡ Pardiez !
Tampoco yo.
DON JUAN En conclusión:
¿ nada habéis visto ni oído ?
AVELLANEDA *y* CENTELLAS
¿ De qué ?
DON JUAN No finjáis ya más.
CENTELLAS Yo no he fingido jamás,
señor don Juan.
DON JUAN ¡ Habrá sido
realidad ! ¿ Contra Tenorio

las piedras se han animado,
y su vida han acotado
con plazo tan perentorio?
Hablad, pues, por compasión.

CENTELLAS ¡Voto va a Dios! ¡Ya comprendo
lo que pretendéis!

DON JUAN Pretendo
que me deis una razón
de lo que ha pasado aquí,
señores, o juro a Dios
que os haré ver a los dos
que no hay quien me burle a mí.

CENTELLAS Pues ya que os formalizáis,
don Juan, sabed que sospecho
que vos la burla habéis hecho
de nosotros.

DON JUAN ¡Me insultáis!

CENTELLAS No ¡por Dios! mas si cerrado
seguís en que aquí han venido
fantasmas, lo sucedido
oíd cómo me he explicado.
Yo he perdido aquí del todo
los sentidos, sin exceso
de ninguna especie, y eso
lo entiendo yo de este modo.

DON JUAN A ver, decídmelo, pues.

CENTELLAS Vos habéis compuesto el vino,
semejante desatino
para encajarnos después.

DON JUAN ¡Centellas!

CENTELLAS Vuestro valor
al extremo por mostrar,
convidasteis a cenar
con vos al Comendador.
Y para poder decir
que a vuestro convite exótico
asistió, con un narcótico

nos habéis hecho dormir.
Si es broma, puede pasar;
mas a ese extremo llevada,
ni puede probarnos nada,
ni os la hemos de tolerar.

AVELLANEDA Soy de la misma opinión.

DON JUAN ¡ Mentís !

CENTELLAS Vos.

DON JUAN Vos, Capitán.

CENTELLAS Esa palabra, don Juan . . .

DON JUAN La he dicho de corazón.
Mentís: no son a mis bríos
menester falsos portentos,
porque tienen mis alientos
su mejor prueba en ser míos.

AVELLANEDA *y* CENTELLAS
Veamos.
(*Ponen mano a la espada.*)

DON JUAN Poned a tasa
vuestra furia, y vamos fuera;
no piense después cualquiera
que os asesiné en mi casa.

AVELLANEDA Decís bien . . . Mas somos dos.

CENTELLAS Reñiremos, si os fiáis,
el uno del otro en pos.

DON JUAN O los dos, como queráis.

CENTELLAS ¡ Villano fuera, por Dios !
Elegid uno, don Juan,
por primero.

DON JUAN Sedlo vos.

CENTELLAS Vamos.

DON JUAN Vamos, capitán.

FIN DEL ACTO 2.°

ACTO TERCERO

MISERICORDIA DE DIOS Y APOTEOSIS DEL AMOR

Panteón de la familia Tenorio. — Como estaba en el acto primero de la segunda parte, menos las estatuas de D.ª Inés y de D. Gonzalo, que no están en su lugar.

ESCENA PRIMERA

DON JUAN, *embozado y distraído, entra en la escena lentamente*

DON JUAN

Culpa mía no fué; delirio insano
me enajenó la mente acalorada.
Necesitaba víctimas mi mano
que inmolar a mi fe desesperada,
y al verlos en mitad de mi camino,
presa les hice allí de mi locura.
No fuí yo, ¡ vive Dios ! ¡ Fué su destino !
Sabían mi destreza y mi ventura.
¡ Oh ! Arrebatado el corazón me siento
por vértigo infernal . . . Mi alma perdida
va cruzando el desierto de la vida,
cual hoja seca que arrebata el viento.
Dudo . . ., temo . . ., vacilo . . . En mi cabeza
siento arder un volcán . . . Muevo la planta
sin voluntad, y humilla mi grandeza
un no sé qué de grande que me espanta.
(*Un momento de pausa.*)
¡ Jamás mi orgullo concibió que hubiere
nada más que el valor ! . . . Que se aniquila
el alma con el cuerpo cuando muere

creí . . . , mas hoy mi corazón vacila.
¡ Jamás creí en fantasmas ! . . . ¡ Desvaríos !
Mas del fantasma aquel, pese a mi aliento,
los pies de piedra caminando siento,
por doquiera que voy, tras de los míos.
¡ Oh ! Y me trae a este sitio irresistible,
misterioso poder . . .

(*Levanta la cabeza y ve que no está en su pedestal la estatua de D. Gonzalo.*)

Pero ¡ qué veo !
¡ Falta de allí su estatua ! . . . Sueño horrible,
déjame de una vez . . . ¡ No, no te creo!
Sal; huye de mi mente fascinada,
fatídica ilusión . . . Estás en vano
con pueriles asombros empeñada
en agotar mi aliento sobrehumano.
Si todo es ilusión, mentido sueño,
nadie me ha de aterrar con trampantojos;
si es realidad, querer es necio empeño
aplacar de los cielos los enojos.
No; sueño o realidad, del todo anhelo
vencerle o que me venza; y si piadoso
busca tal vez mi corazón el cielo,
que le busque más franco y generoso.
La efigie de esa tumba me ha invitado
a venir a buscar prueba más cierta
de la verdad en que dudé obstinado . . .
Heme aquí, pues; Comendador, despierta.

(*Llama al sepulcro del Comendador. — Este sepulcro se cambia en una mesa que parodia horriblemente la mesa en que comieron en el acto anterior D. Juan, Centellas y Avellaneda. — En vez de las guirnaldas que cogían en pabellones sus manteles, de sus flores y lujoso servicio, culebras, huesos y fuego, etc.* (*a gusto del pintor*). *Encima de esta mesa aparece un plato de ceniza, una copa de fuego y un reloj de arena. — Al cambiarse este sepulcro, todos los demás se abren y dejan paso a las osamentas de las personas que se suponen enterradas en ellos, envueltas en sus sudarios. — Sombras, espectros y espíritus pueblan el fondo de la escena. — La tumba de D.ª Inés permanece.)*

ESCENA II

DON JUAN, LA ESTATUA DE D. GONZALO *y* LAS SOMBRAS

ESTATUA
Aquí me tienes, don Juan,
y he aquí que vienen conmigo
los que tu eterno castigo
de Dios reclamando están.

DON JUAN
¡ Jesús !

ESTATUA
Y ¿ de qué te alteras
si nada hay que a ti te asombre,
y para hacerte eres hombre
platos con sus calaveras ?

DON JUAN
¡ Ay de mí !

ESTATUA
¿ Qué ? ¿ El corazón
te desmaya ?

DON JUAN
No lo sé;
concibo que me engañé;
no son sueños . . . , ¡ ellos son !
(*Mirando a los espectros.*)
Pavor jamás conocido
el alma fiera me asalta,
y aunque el valor no me falta,
me va faltando el sentido.

ESTATUA
Eso es, don Juan, que se va
concluyendo tu existencia,
y el plazo de tu sentencia
fatal ha llegado ya.

DON JUAN
¡ Qué dices !

ESTATUA
Lo que hace poco
que doña Inés te avisó,
lo que te he avisado yo,

y lo que olvidaste loco.
Mas el festín que me has dado
debo volverte, y así,
llega, don Juan, que yo aquí
cubierto te he preparado.

DON JUAN — Y ¿ qué es lo que ahí me das?

ESTATUA — Aquí fuego, allí ceniza.

DON JUAN — El cabello se me eriza.

ESTATUA — Te doy lo que tú serás.

DON JUAN — ¡ Fuego y ceniza he de ser!

ESTATUA — Cual los que ves en redor;
en eso para el valor,
la juventud y el poder.

DON JUAN — Ceniza, bien; pero ¡ fuego!...

ESTATUA — El de la ira omnipotente,
do arderás eternamente
por tu desenfreno ciego.

DON JUAN — ¿ Conque hay otra vida más
y otro mundo que el de aquí?
¿ Conque es verdad ¡ ay de mí!
lo que no creí jamás?
¡ Fatal verdad que me hiela
la sangre en el corazón!
¡ Verdad que mi perdición
solamente me revela!
¿ Y ese reloj?

ESTATUA — Es la medida
de tu tiempo.

DON JUAN — ¿ Expira ya?

ESTATUA — Sí; en cada grano se va
un instante de tu vida.

DON JUAN — ¿ Y esos me quedan no más?

ESTATUA — Sí.

DON JUAN — ¡ Injusto Dios! Tu poder
me haces ahora conocer,
cuando tiempo no me das
de arrepentirme.

ESTATUA
Don Juan,
un punto de contrición
da a un alma la salvación,
y ese punto aun te le dan.

DON JUAN
¡ Imposible ! ¡ En un momento
borrar treinta años malditos
de crímenes y delitos !

ESTATUA
Aprovéchale con tiento,
(*Tocan a muerto.*)
porque el plazo va a expirar,
y las campanas doblando
por ti están, y están cavando
la fosa en que te han de echar.
(*Se oye a lo lejos el oficio de difuntos.*)

DON JUAN
¿ Conque por mí doblan ?

ESTATUA
Sí.

DON JUAN
¿ Y esos cantos funerales ?

ESTATUA
Los salmos penitenciales
que están cantando por ti.
(*Se ve pasar por la izquierda luz de hachones, y rezan dentro.*)

DON JUAN
¿ Y aquel entierro que pasa ?

ESTATUA
Es el tuyo.

DON JUAN
¡ Muerto yo !

ESTATUA
El Capitán te mató
a la puerta de tu casa.

DON JUAN
Tarde la luz de la fe
penetra en mi corazón,
pues crímenes mi razón
a su luz tan sólo ve.
Los ve . . . y con horrible afán,
porque al ver su multitud,
ve a Dios en su plenitud
de su ira contra don Juan.
¡ Ah ! Por doquiera que fuí,
la razón atropellé,
la virtud escarnecí

y a la justicia burlé;
y emponzoñé cuanto vi,
y a las cabañas bajé,
y a los palacios subí,
y los claustros escalé;
y pues tal mi vida fué,
no, no hay perdón para mí.
(*A los fantasmas.*)
Mas ¡ ahí estáis todavía
con quietud tan pertinaz !
Dejadme morir en paz
a solas con mi agonía.
Mas con esa horrenda calma,
¿ qué me auguráis, sombras fieras ?
¿ Qué esperáis de mí ?

ESTATUA — Que mueras
para llevarse tu alma.
Y adiós, don Juan; ya tu vida
toca a su fin, y pues vano
todo fué, dame la mano
en señal de despedida.

DON JUAN — ¿ Muéstrasme ahora amistad ?

ESTATUA — Sí; que injusto fuí contigo,
y Dios me manda tu amigo
volver a la eternidad.

DON JUAN — Toma, pues.

ESTATUA — Ahora, don Juan,
pues desperdicias también
el momento que te dan,
conmigo al infierno ven.

DON JUAN — ¡ Aparta, piedra fingida !
Suelta, suéltame esa mano,
que aun queda el último grano
en el reloj de mi vida.
Suéltala, que si es verdad
que un punto de contrición
da a un alma la salvación

de toda una eternidad,
yo, santo Dios, creo en ti;
si es mi maldad inaudita,
tu piedad es infinita . . .
¡ Señor, ten piedad de mí !

ESTATUA Ya es tarde.

(*Don Juan se hinca de rodillas, tendiendo al cielo la mano que le deja libre la estatua. Las sombras, esqueletos, etc., van a abalanzarse sobre él, en cuyo momento se abre la tumba de D.ª Inés y aparece ésta. Doña Inés toma la mano que D. Juan tiende al cielo.*)

ESCENA III

DON JUAN, LA ESTATUA DE D. GONZALO, D.ª INÉS, SOMBRAS, etc.

DOÑA INÉS No; heme ya aquí,
don Juan; mi mano asegura
esta mano que a la altura
tendió tu contrito afán,
y Dios perdona a don Juan
al pie de mi sepultura.

DON JUAN ¡ Dios clemente ! ¡ Doña Inés !

DOÑA INÉS Fantasmas, desvaneceos;
su fe nos salva . . . ; volveos
a vuestros sepulcros, pues.
La voluntad de Dios es;
de mi alma con la amargura
purifiqué su alma impura,
y Dios concedió a mi afán
la salvación de don Juan
al pie de la sepultura.

DON JUAN ¡ Inés de mi corazón !

DOÑA INÉS Yo mi alma he dado por ti,
y Dios te otorga por mí
tu dudosa salvación.

Misterio es que en comprensión
no cabe de criatura,
y sólo en vida más pura
los justos comprenderán
que el amor salvó a don Juan
al pie de la sepultura.
Cesad, cantos funerales;
(Cesa la música y salmodia.)
callad, mortuorias campanas;
(Dejan de tocar a muerto.)
ocupad, sombras livianas,
vuestras urnas sepulcrales;
(Vuelven los esqueletos a sus tumbas, que se cierran.)
volved a los pedestales,
animadas esculturas;
(Vuelven las estatuas a sus lugares.)
y las celestes venturas,
en que los justos están,
empiecen para don Juan
en las mismas sepulturas.

(Las flores se abren y dan paso a varios angelitos, que rodean a D.ª Inés y a D. Juan, derramando sobre ellos flores y perfumes, y al son de una música dulce y lejana, se ilumina el teatro con luz de aurora. Doña Inés cae sobre un lecho de flores, que quedará a la vista, en lugar de su tumba, que desaparece.)

ESCENA ÚLTIMA

DOÑA INÉS, D. JUAN *y* LOS ÁNGELES

DON JUAN ¡ Clemente Dios, gloria a ti !
Mañana a los sevillanos
aterrará el creer que a manos
de mis víctimas caí.

Mas es justo; quede aquí
al universo notorio
que pues me abre el purgatorio
un punto de penitencia,
es el Dios de la clemencia
el Dios de Don Juan Tenorio.

(Cae D. Juan a los pies de D.ª Inés, y mueren ambos. De sus bocas salen sus almas representadas en dos brillantes llamas, que se pierden en el espacio al son de la música. Cae el telón.)

Fin del Drama

NOTES

NOTES

PERSONAJES — Tenorio, Mejía, Ulloa, and Pantoja are historical names, but history does not mention bearers of them who would fit the persons of *Don Juan Tenorio.*

Calatrava: The order of Calatrava, the most ancient and honorable of the four military-religious orders of Spain (the others are Santiago, Alcántara, and Montesa), was founded in the latter part of the twelfth century. The members originally followed the rule of St. Benedict and the constitution of the Cistercians. The religious restrictions were gradually relaxed. As the orders acquired property, the Grand Masters and *comendadores* became rich temporal lords. Strict proofs of nobility were (and are) required for admission. The orders still exist, but are now purely honorary organizations. The King of Spain is Grand Master of each of the four orders.

1. Concerning this first scene, Zorrilla writes: "My first care was . . . to present my hero, whom I put on the stage masked and writing, in a tavern, and on a Carnival night; that is, in a place and at a time that a schoolboy (Zorrilla himself) . . . considered the very worst." Zorrilla adds that it was really he, and not his character Don Juan, who uttered the famous first four lines.

3. **en concluyendo: en** with a present participle is used to denote something occurring just before the action of the main verb. Translate, *as soon as I finish my letter.*

9. **Ni caen . . .,** *and we don't land fine fish* (i.e., liberal customers) *here, because such houses are frowned upon by the well-to-do, and sometimes their rights are violated.*

19. **No hay . . . iguale.** The subjunctive follows a relative used after a general negation or an indefinite antecedent.

33. **a quién . . . diablos,** *to whom in the Deuce.*

62. **no tenéis.** The second person plural (subject form **vos**, not **vosotros**) was formerly used referring to one person, in formal speech between equals, or by an inferior to a superior. Don Juan wavers with regard to Buttarelli; first the second singular (intimate, or used by a superior to an inferior) e.g., **Dime,** 57, **tenéis,** 62; then **habla,** 66, **acabarás,** 69, etc. Buttarelli constantly uses **vos** to his noble customers, and they generally to him, though Don Gonzalo uses the second singular to him in **trae,** 173.

87. **que = porque.**

92–93. **maldita la memoria,** a more vivid and colloquial way of saying **ninguna memoria. Maldito** is often about equivalent to "Devil a bit of . . ."

100. **el uno . . . pos = el uno en pos del otro.**

127. **aquí es.** Note the use of **ser** in this expression equivalent to "This is the place."

138. **seréis,** *can you be? . . . are you then?* The future is frequently used to denote a present probability or possibility.

155. **¡ya!** (Supply **entiendo,** or some similar word) *I see! Of course!*

180. **a ser = si es.** A plus an infinitive often has conditional force.

198. **primer campanada.** Apocopated forms **primer, postrer,** and **gran** may be used before feminine as well as masculine nouns.

202. **de que . . . esperanza = la esperanza de que cumplan.**

212. **que . . . tenga.** The subjunctive preceded by **que** is often used elliptically in exclamations. Translate, *to think that a man . . .*

218. **y no es . . . juego,** *and it is not a thing to put in jeopardy.*

241. **en toda . . visto,** *never in my life did I see.* When the verb is preceded by expressions such as **en mi vida, en parte alguna,** etc., which are often used to strengthen a negative, the word **no** is generally understood but not written. See Bello-Cuervo, *Gramática Castellana,* § 1134.

265. **Túnez.** Charles V captured Tunis after a terrible siege in the summer of 1535.

279. **Sentarse.** The infinitive may be used as an imperative. See Bello-Cuervo, *Gramática Castellana,* Notes, page 62.

289–292. **y no hubo . . . empeña?,** *and there was never any man who could get the better of him even if he* (Don Juan) *was merely following a whim; so what will he do if he really sets himself to it?*

294. **las . . . tales,** *has done such mighty things.* **Las** represents some word such as **hazañas, empresas.** Compare the indefinite English "it" in "I'll stick it out."

323–324. **sería, . . . apenas,** *It must have been barely at dusk.* The conditional is often used to express a past probability.

361. **Si la traía,** *But, you see, he had it.* The use of **si** in such cases is to be explained by the ellipsis of a preceding clause, such as (*How did you expect me to see it*) *if . . .*

379. **Aquí es ella,** *Now there will be the Deuce to pay.*

399. **me hago esperar,** *make anyone wait for me.*

417. **quien** was formerly either singular or plural. Translate, *We keep our word like the men we are.*

439. **me hago esperar,** *make anyone wait for me.*

448. **con Francia en guerra:** Charles V and Francis I of France engaged in four wars. Much of the fighting was in Italy.

527. **si . . . comprobantes,** *If your notes in proof of them are irrefutable.*

539. **Flandes:** Charles V, by virtue of being Duke of Burgundy, inherited Flanders, where he was born and reared. The "*empeñadas guerras*" in Flanders really come somewhat later, in the time of Charles' son Philip II, and would include the campaigns of the Duke of Alva. It is true, however, that Charles V sternly suppressed outbreaks of Protestantism in the Low Countries. In 1540 he entered Ghent at the head of about ten thousand troops, to punish the city for refusing to raise a levy of 400,000 florins which he had demanded.

720. **lo . . . ver = queriendo ver lo que erais.**

762. **para ignorado,** *best left unknown.*

810. **verá (sc. usted).** The constable first used the second person plural in talking to Don Juan (**Sed preso,** 809). One may suspect that Zorrilla changed to the third person singular because it suited his rhyme scheme: **allá — verá.**

855. **a no ser yo = si yo no fuese.** Omit me in translating.

858. **moría hoy.** The imperfect indicative is sometimes used for greater emphasis or vividness in the conclusion to a contrary-to-fact condition.

864. **lo que,** *how.*

870. **pierdo = habría perdido.** The present indicative is here used for greater vividness instead of the conditional perfect in the conclusion of a past contrary-to-fact condition.

894. **¡ Esa es buena!** *That's a good one!* **Esa** stands for some word such as **cosa, palabra, hazaña,** etc., like the English "one" in the above translation.

903. **Virgen del Pilar.** The Virgin of the Column, an image of the Virgin in Saragossa, has been the object of great veneration. Legend has it that the Virgin Mary in the year 40 A.D. appeared to the Apostle St. James, the patron saint of Spain, on the banks of the Ebro River near Saragossa. She was upon a marble column, surrounded by hosts of angels. St. James is said then to have built a church to commemorate her appearance. The erection of the present basilica of Nuestra Señora del Pilar was begun in 1681. The image of the Virgin surmounting the column bears a crown, offered in 1905, valued at nearly a hundred thousand dollars. The shrine is visited by thousands of pilgrims every year. — As Pascual is an Aragonese, it is appropriate that he should swear by the image of the Virgin venerated in Saragossa, the capital of Aragon.

911. **San Ginés:** There are five saints of the Roman Catholic church named Genesius (**Ginés**). The most famous is the Roman actor who received baptism during the performance of a play before the Emperor Diocletian. When the Emperor realized that the ceremony was in earnest, Genesius

suffered martyrdom. It is not entirely certain that Genesius ever existed. His feast is celebrated on August 25. He is, incidentally, the patron saint of actors and musicians.

914. **aragonés:** The Aragonese had and have a popular reputation for stubbornness.

983. **¿ Hay tal afán?** *Was there ever such oppressive zeal?*

1050. **para vistas con desprecio,** *to be viewed with scorn.*

1064–1065. **sólo . . . para,** *it is only a few hours before.*

1079–1080. **de ese . . . nombre = en nombre de ese amor que me aseguras.**

1149. **porque me juzgues. Porque** is here a conjunction of purpose and hence followed by the subjunctive. **Porque** in this sense is less commonly used today than it was in the seventeenth century. **Para que** is usually employed instead, though the two forms are not absolutely identical in meaning.

1168. **Pidiéraislo en cortesía,** *you might ask for it courteously.* This is really the conclusion to a condition of which the if-clause is not expressed: e.g., *If you knew what was best for you,* or something of the sort.

1173. **estorballe = estorbarle.**

1219–1220. **a desgraciarse . . . paso,** *lest the affair come very near falling through.*

1226. An unnatural stress falls on the word **de,** to rhyme with **fe** in the next line. Such stressing of properly unaccented words has been practised also by poets of the Generation of 1898. Unamuno condemns it in the **prólogo** of Manuel Machado's *Poesías escogidas,* Barcelona, no date, p. xxiv.

1232. Note that **lo** is accented, rhyming with **yo,** 1229. This stressing of a final enclitic pronoun is by no means infrequent in every-day speech, and many examples of it can be found in the older Spanish theater.

1245. **os** is a dative of interest (ethical dative). Translate, *I have convinced her for you.*

1249 ff. Much of this speech by Brígida is taken from Zorrilla's *leyenda Margarita la Tornera.*

1281. **está hermosa,** i.e., *now, in her present state;* to be distinguished from **es hermosa,** though we learn that that is also true.

1343. **te he . . . oro,** *I shall have you given your weight in gold.*

1350. **muchas = muchas empresas, hazañas,** or some similar word.

1362. **sabe bien = sabe muy bien, demasiado bien.**

1407. **¿ Y a mí quién (me asegura)?**

1431. **a las nueve.** Zorrilla himself makes fun of his carelessness in the use of time in *Don Juan Tenorio.* (*Recuerdos,* I, 169.) The reader will remember that it struck eight at the end of Act I, sc. XI. It is now obviously supposed to be some time before nine. In less than an hour, then, Don Juan and Don Luis have met at the Hostería del Laurel, given a long account of their doings, and conversed with Don Gonzalo and Don Diego; they have been arrested and jailed, but have managed to get out; Don Juan and Ciutti have planned and executed their stratagem against Don Luis; Don Juan has interviewed Brígida and Lucía. Zorrilla says: "These 200-minute hours are the exclusive property of the watch of my Don Juan . . . The unity of time is *marvelously* observed in the four acts of the first part of my Don Juan, and there are two special features to be noticed: the first is miraculous, for the action occurs in less time than it absolutely and materially requires; the second, that neither my characters nor the spectators ever know what time it is."

1494. **hasta no ver,** *until you see.* The **no** is really pleonastic. It may be explained by saying that the statement is equivalent to *You do not yet see your dueña, so you are anxious.* The form of the statement is changed, but the **no** is kept.

1557. **se está,** *one is.* By analogy with transitive verbs, the intransitives **ser** and **estar** may be used with reflexive pronouns. See Bello-Cuervo, *Gramática Castellana,* § 763 ff.

1565. **¡ Vieja más impertinente!** *What a meddlesome old woman!*

1568. **Pues quedó . . . infeliz** is of course ironical.

1667. **De amor . . . ligera = Con ella brotó en mi pecho una chispa ligera de amor.**

1688. **le** is dative, referring to Don Juan.

1696. **osastes** is second person singular preterite. Etymologically the final **–s** should be absent. By analogy with many other tenses in which the second person singular ends in **–s,** one was added to the preterite in the seventeenth century, or perhaps even before. It has disappeared in modern Spanish. Zorrilla no doubt used it to get a needed syllable into his line. (See Menéndez Pidal, *Manual de gramática histórica,* 5th edition, Madrid, 1925, § 107, (3).)

1756. **¿ De quién . . . ser?** *Of whom do you suppose?*

1816. Cf. the second note in this series. Doña Inés was about to profess in a convent belonging to the order of Calatrava, of which her father was a Comendador. For entry into the Calatrava nuns, an order founded in 1219, the same proofs of nobility were required as for male *Calatravos.*

1907. Instead of **imbécil** the word **señora** is now usually substituted in performances of the play.

1910. **A poderlo . . . galán** is really a contrary-to-fact construction which in prose would ordinarily be expressed: **si hubiese podido calcularlo . . . no me habría metido.** See note on v. 870.

1928. **si tardamos = si tardásemos, si hubiésemos tardado.** The present indicative is here used in the if-clause, as well as in the conclusion of a contrary-to-fact condition. See note on v. 870.

1941. **porque a lo que él (se arroja).**

1979. **en las que** is the regular Spanish order instead of **las en que.**

2018. **lo que va,** *how much difference there is.*

2207. **a no verlas,** *lest I see them.* See note on v. 180.

2233. **rendiros:** the **os** is dative.

2316. **bien hallado** is the answer of the person welcomed to the person whom he finds. We should probably have to translate *the same to you.*

2419–2421. **Pero . . . ser . . . ,** *But observe that bringing between the two of us a person who may prevent the affair* (*duel*), *may be* (*a pretext to avoid fighting*).

2787. **Antes . . . fortuna,** *He will rather consider it good fortune.*

2835. **¿ Si . . . padecerá,** *I wonder if he can be suffering.*

2861. **¡ Quién pudiera,** *If I only could.*

2879. **¿ qué dudáis?** *What makes you hesitate?*

2898. **la . . . puesto,** *would have bet it on a single card.*

2922. **que . . . respira,** *who through my wickedness no longer breathes the breath of life.*

3045. The subject of **fanatizó** is **imaginación.**

3143. **escarnecellos = escarnecerlos.**

3151. **que a mí . . . pronto = que a no haberos acercado pronto a mí.** See also note on v. 180.

3180. **¿ es cosa . . . nosotros?** *is it a question of your leaving out some guest on our account?*

3185. **¿ No hay . . . demos?** *Isn't there some veiled lady on whose account we should be tardy in coming?*

3201. **Por mí . . . quedar,** *It shall not fail through my fault.*

3220. **y otra vida . . .** Zorrilla's Don Juan in this respect is like the Don Juan of Molière, an unbeliever. The hero of Tirso's *El Burlador* fully believed in God and a future life, but felt that he had a very long time in which to repent and reform. We must remember, however, that Zorrilla's Don Juan five years before had suggested the possibility that God might call him through the love of Inés. See vv. 2259–2278.

3323. **Pues . . . alabar,** *Well, as God lives, whoever it is shall not brag about his unpleasant joke.*

3378. **Hais = Habéis.**

3422. **lo** refers to **muerto.**

VOCABULARY

VOCABULARY

In preparing this vocabulary the editor assumed that students using the text would have had at least one year of Spanish and hence would be familiar with the every-day words of the language. He omitted, therefore, common nouns, verbs, adjectives, adverbs, prepositions, etc., such as appear in the vocabularies of almost all Spanish grammars and elementary readers. He likewise omitted: proper names which have no equivalent in English, the articles, the past participles of verbs used in some other form in the text, regularly formed adverbs in *-mente* (the corresponding adjective is given); numerals; and words which have practically the same form and meaning in Spanish and English.

Gender signs are omitted
(a) with masculine nouns ending in **–o**, or **–nte,**
(b) with feminine nouns ending in **–a**, **–ión**, **–dad**, **–tad**, **–tud**, **–ez.**

A

abadesa, abbess
abajo, down, downstairs
abalanzarse, to rush, dash
abarcar, to undertake; to include
abasto, supplies, provisions
abismo, abyss; Hell
abonar, to vouch for, speak in behalf of, back, support
abordar, to accost
aborto, abortion; monster
abrasar, to burn
abrazar, to embrace
abreviar, to shorten, cut short; to hasten
abrir, to open
absorto (*p.p.* **absorber**), absorbed; amazed
abuelo, grandfather, ancestor
acá, here, hither
acabar, to finish; to have done; **— de** + *infin.*, to have just
acalorado, heated, feverish
acaso, perhaps, perchance; **por si —,** if perchance, just on a chance
acelerar, to speed, hasten; **—se,** to speed, hasten
acercar, to put near, bring up; **—se,** to approach, draw near
acertado, accurate, right
acertar, to succeed
aclamar, to proclaim
acomodado, fitted; **bien —,** well-to-do
acomodar, to arrange, fit, suit; **—se,** to agree, to be suited
acompañado, accompanied, with companions
acongojado, anguished
aconsejar, to advise
acontecer, to happen
acoquinar, to intimidate, make afraid
acordar, to decide upon; to agree; **—se,** to remember
acostarse, to go to bed

acostumbrado, used, accustomed
acotar, to limit, set bounds on
acreditar, to accredit, brevet; to give fame to
acreedor, creditor
acuciar, to stimulate, press
acudir, to come, come to the aid of, come to help, have recourse to
achacar, to attribute
adelantarse, to advance, come on
adelante, forward; come in!; **de aquí —,** henceforward
admirar, to surprise, cause astonishment; to admire
adormecer, to lull, put to sleep
adquirir, to acquire
advertir, to notify, inform; to warn
afán, *m.*, trouble, suffering, anxiety; eagerness, zeal; longing, yearning; **pasar —,** to suffer anxiety, suffer
afición, affection, love
afrettati (*Ital.*), *imperv.*, hurry; **mi afretto,** I am hurrying
afrontarse (con), to confront
afuera, outside
agitación, excitement, stirring
agotar, to exhaust
agradar, to please
agradecer, to be grateful, thank
aguardar, to await, wait for
ahogar, to drown; to stifle, suffocate
ahorcar, to hang
ahorrar, to save, spare
aislado, isolated
ajeno, someone else's, other people's, foreign; **— de,** a stranger to
ala, wing
alabar, to praise; **—se,** to take pride, vaunt oneself, boast
alargar, to lengthen, draw out; to hand, extend, hold out
albricias, reward (*generally for good news*); **en —,** as a reward
alcanzar, to reach, to overtake; to grasp, understand
alcázar, *m.*, palace
aldabada, knock
aldabonazo, knock, sound of knocking
alegrarse, to rejoice
alegre, merry, happy
alegría, joy
alejarse, to go away, go far
alga, alga, seaweed
alguacil, constable
alguien, someone, anyone
aliento, breath, blowing; courage, spirit
alilla, (little) wing
alimentarse, to nourish oneself, feed
alma, soul, heart, life; courage; **del —,** beloved; **sin — estoy,** my heart is in my mouth
alrededor (de), around
altanero, haughty
alterar, to disturb; **—se,** to be disturbed, upset, disquieted
altivez, *f.*, haughtiness
altivo, lofty, haughty
alto, high; aloud; **¡ Alto !** Halt!
altura, height; **a la —,** on high, aloft
alucinar, to obfuscate; to deceive
alumbrar, to light, make a light; to enlighten
alzar, to raise; **—se,** to rise
allá, there, yonder; **— va,** here it comes; **más —,** beyond
allí, there
amar, to love
amargo, bitter
amargura, bitterness
amarillo, yellow
amatorio, amatory, loving
ambos, both, the two; **— a dos,** both
amedrentar, to alarm, terrify, frighten
amenazar, to threaten
ameno, pleasant
amico (*Ital.*), = **amigo**
amistad, friendship
amo, master
amor, *m.*, love
amorío, love-making, love affair

amparo, support, protection
amueblado, furnished
amuleto, amulet
anciano, old
anclar, to anchor
anchura, broadness, vastness
andar, to walk, go; **¡Anda!** Goodness! Good gracious! **Todo se andará,** It will be all done, everything will be all right
Andrés, Andrew
angelito, *dim. of* **ángel,** little angel, cherub
ángulo, angle, corner
anhelar, to desire, long for
anhelo, desire, longing
ánima, soul; **—s,** ringing of bells summoning to prayer for the souls of the dead
animar, to animate, endow with life; **—se,** to come to life
aniquilar, to annihilate, destroy
anochecer, to grow dark; *as noun, m.,* dusk, nightfall
anónimo, anonymous letter *or* missive
ansiar, to desire eagerly, crave
anterior, previous
antes, before; rather; **cuanto —,** as soon as possible
antesala, reception hall, antechamber
antico (*Ital.*), = **antiguo**
antifaz, *m.,* disguise, mask
antojarse, to occur; **se me antoja,** I have a notion
antojo, notion, whim, fancy
anuncio, advertisement
anzuelo, hook, fishhook
añadir, to add
añejo, old, of long standing
apagar, to extinguish
apalabrar, to bespeak
apalear, to beat (with a stick)
aparecer, to appear
apariencia, appearance; *in stage decoration,* a painted curtain, back-drop, stage device
apartado, distant, secluded
apartar, to put aside *or* apart, separate, drive away; **—se,** to withdraw, depart
aparte, aside
apelar, to appeal
apellido, (family) name
apenado, pained, in pain, in anguish
apenas, hardly, scarcely
apetecer, to desire, yearn for
aplacar, to placate
aplazado, agreed upon, set
aplomo, poise, self-possession
aposento, room, apartment
apostar, to bet, wager, put up as stakes
apoteosis, *f.,* apotheosis, deification
apoyarse, to lean, support oneself
apparecchia (*Ital.*), prepare
aprensión, apprehension, dread
aprestar, to prepare
apretura, press, difficult situation, predicament
apriesa (*archaic for* **aprisa**), pressingly; hurriedly
aprontar, to prepare in haste
aprovechar, to take advantage of
aproximarse, to approach
apuesta, bet, wager
apuntar, to note, mark
ara, altar
aragonés, Aragonese
arder, to burn; **—se,** to burn, be consumed
ardid, *m.,* stratagem, artifice
ardiente, burning, ardent
arena, sand
argüir, to argue
aridez, dryness
armonía, harmony
arquilla, chest, money-box, coffer
arrancar, to snatch *or* tear (off, from, away)
arrastrar, to drag
arrebatar, to seize, carry away
arredrarse, to grow afraid, be terrified

arreglar, to arrange
arremolinarse, to mill *or* swirl about
arrepentirse, to repent
arriesgado, risky, dangerous, rash
arriesgar, to risk; **—se**, to be risked; to be risky
arrimar, to bring up
arrogante, high-spirited, haughty, arrogant
arrojar, to throw, hurl; **—se**, to dash, jump, plunge; to dare
arrostrar, to face, confront
arruinarse, to ruin oneself
artificio, trick, artifice
asaltar, to assault, attack
asegurar, to assure, look out for, guarantee; **—se**, to take precautions, make sure
asentar, to seat; to put down; to lay
asentimiento, assent, consent
asesinar, to murder
asfixiar, to suffocate
asistir, to attend, wait upon
asomar(se), to approach, appear, go, come
asombrar, to astonish, amaze
asombro, astonishment, fright
astro, star, heavenly body
astucia, cleverness, astuteness
asunto, subject, matter, case
atajar, to cut off, obstruct; to overtake
atar, to tie, bind
ataúd, *m.*, coffin, bier
atento, intent, absorbed
aterrar, to terrify; to amaze
atesorar, to treasure
atónito, dazed, dumfounded
atracar, to land, come alongside
atraer, to attract, draw
atrás, behind, back, in the back
atravesar, to cross
atrever, to dare; **—se a**, to brave
atrevido, bold, rash
atropellar, to trample upon, crush, ride rough-shod over, violate
audacia, audacity, daring
audaz, bold, daring
augurar, to augur, foretell
aumentar, to increase
aun, aún, still, yet
aunque, although
aura, gentle breeze
aurora, dawn
ausentarse, to absent oneself, leave
autorizar, to authorize, give a right
avanzar(se), to advance
avaro, miserly
avenirse, to conform to, reconcile oneself; to agree, come to terms
aventajar, to surpass
avergonzar, to shame; **—se**, to be ashamed
avilantez, debasement, vileness
aviso, notification, warning
aya, governess, guardian
ayudar, to aid, help
azar, *m.*, chance, vicissitude
azul, blue

B

bajar, to lower, let down; to descend; **—se**, to descend
bajeza, baseness
bajo, low, in a low tone
bala, bullet
balanza, balance, scales
bandolero, bandit, highwayman
barato, cheap; **a —**, cheap, under value, at a bargain
barca, boat, skiff
barquichuelo, little boat
barquilla, little boat
Barrabás, Barabbas, a robber whom the Jews chose to be released from prison instead of Jesus
bastar, to suffice, be enough
bastidor, side, wing (of a stage)
batallar, to battle
batirse, to fight, duel
beata, devout woman; one who

wears a religious garb and devotes herself to the service of religion, though not technically a member of any religious order
beber, to drink
Belcebú, Beelzebub; **con —,** by . . .
beldad, beauty
bello, beautiful, lovely
bellísimo, *super. of* **bello**
bergante, rascal, scamp
bergantín, *m.*, brigantine (*two-masted vessel with square sail*)
beso, kiss
bicho, insect, creature; **mal —,** rascal, scamp
bien, well; **está —,** very well; *as noun,* good, goodness; cherished possession, beloved
bizarro, brave, gallant
blanca, a small coin, farthing
blasonar, to vaunt oneself, boast
boato, ostentation, pomp
boca, mouth
boda, wedding
bodega, wine-cellar
bogar, to row; to travel
bolsa, purse
bolsillo, pocket, purse
bondad, goodness, kindness
bonito, pretty
a bordo, aboard, on board
Borgoña, Burgundy; *m.*, Burgundy wine
borrar, to erase, blot out
bote, *m.*, boat
botella, bottle
bottiglie (*Ital.*), = **botellas**
bravo, fierce, bold, spirited; fine
brazo, arm
breve, short
bribón, *m.*, rascal, scoundrel
brillar, to shine
brillo, gleam, shining
brindar, to drink a toast
brindis, *m.*, toast, health
brío, spirit, courage
brios: voto a —, familiar expression, = **voto a Dios,** egad, as God lives
brisa, breeze
broma, joke, jest
bromazo, silly joke, annoying jest
brotar, to sprout; to fly off; to produce, cause to spring up
bulto, bundle, shape; **de —,** clear, conspicuous
bulla, noise, clatter; loud vaunting
bullicio, din, hubbub, hurly-burly
burla, jest, joke, deception
burlador, deceiver
burlar, to mock, deceive; **—se de,** to make sport of, mock, jest
buscar, to seek

C

¡ Ca! Not at all! The very idea! I should say not!
cabal, whole, perfect, exact
caballero, horseman, rider; knight; gentleman, nobleman
cabaña, hut, hovel, cabin
caber, to be contained, fit, get into; **no cabe en mi corazón,** my heart can not conceive; **no cabemos en la tierra,** the world is not big enough to hold us (both)
cabeza, head; **mala —,** hot-head, man of unbridled passions
cabizbajo, with head hanging, downcast
cabo, end; **al —,** finally, really, after all
cada, each, every; **— cual,** each one, everyone
caer, to fall, drop; to be situated; **estar al —,** to be about to arrive, imminent
calabrés, Calabrian, of southeastern Italy
calavera, skull; *m.*, madcap
calentura, fever, heat
calenturiento, hot, feverish

calidad, quality
cáliz, *m.*, calyx
calor, *m.*, heat
callado, silent
callar, to be silent, hush
calleja, narrow street, alley
cama, bed
cambiar, to change
camino, road; **de —**, walking, on the road
campana, bell
campanada, bell-stroke, stroke of a chime clock
campesino, rustic, of the country
campo, field, country
candidez, *f.*, guilelessness, simple purity
cándido, guileless, ingenuous
canicular, canicular, of the period of ascendancy of the Dog-star
cantar, to sing
cantidad, quantity, sum
canto, song, dirge
caos, *m.*, chaos
capaz, capable
capricho, whim, caprice, foolish notion
caprichoso, capricious, whimsical, fickle
cara, face; **poner mala —**, to make a wry face, be squeamish
carcajada, burst of laughter; **soltar la —**, to burst out laughing
cárcel, *f.*, jail, prison
carestía, lack, shortness
cargar, to load, burden
caridad, charity
Cariñena, a town near Saragossa; *m.*, wine from that region
cariño, love, affection
caritá (*Ital.*): **in —**, for Heaven's sake
Carlos V, Charles V (Charles I of Spain), King of Spain 1516–1556; Emperor of Germany, Duke of Milan, Count of Burgundy, etc.
Carnaval, *m.*, Carnival, the three days just before Lent, which in Catholic countries are celebrated with noisy festivities and merry-makings
carne, *f.*, flesh, meat
caro, dear
Carrara, a city in Italy northwest of Florence. The region is famed for its marble
cartel, *m.*, placard, bill
casada, married woman, wife
casado, married; *as noun*, married man, husband
casar, to marry; **—se con**, to marry
caso, affair, matter, case, fact; **en todo —**, at all events; **hacer caso de**, to pay attention to, regard
castigliano (*Ital.*), = **castellano**
castigo, punishment
castillo, fortress, castle
caudal, capital, fortune, possessions
cautela, caution; craft, wile, trick
cauteloso, wily, cunning, crafty
cavar, to dig
ceder, to yield, grant
cegar, to blind
celda, cell
celeste, heavenly
celo, zeal; *pl.*, jealousy
celosía, jealousy; blind, window
celoso, zealous; jealous
cena, supper
cenar, to sup
ceniza, ash, ashes
centro, center, middle
centuplicado, multiplied a hundred-fold
ceñir, to gird (on), bind
cerca, near
cercano, near, approaching
cercar, to surround; to besiege
cerebro, brain
cerrado, closed; set, determined
cerradura, lock
cerrar, to close; to be up; to be at the back *or* end of

cerrojo, bolt
certero, accurate, with sure aim
certeza, certainty
cerviz, *f.*, neck; **inclinar la —,** to humble oneself
cesar, to cease
ciego, blind; **a ciegas,** blindly, in the dark
cielo, heaven, sky
cierto, certain, sure; a certain; **¿ Qué hay de — en . . .?** What truth is there in . . . ?
cifrado, calculated; dependent, based
cincel, *m.*, chisel
cinta, belt; **en la —,** at one's side, buckled on
cinto, belt
ciprés, *m.*, cypress
circuir, to surround, compass, encircle
círculo, circle
cita, appointment, summons
clarear, to grow light, dawn
claridad, clearness, brightness
clarísimo, *super. of* **claro**
claro, bright, brilliant, clear; sure; **— está,** of course, obviously
claustro, cloister
clausura, enclosure, cloister
clavel, *m.*, pink, carnation
clemencia, mercy
clemente, merciful
clérigo, cleric, priest
cobarde, coward
cochitril, pig-sty
coco, grimace; bugbear, bugaboo; **hacer el —,** to play bugaboo, wear an ugly disguise
codicia, greed
coger, to catch, seize
colocar, to place, set
combatir, to combat, assail
comedia, play, comedy
comendador, comendador, knight holding a benefice in one of the military-religious orders
cometer, to commit
como, as, like; if, provided
compaña, company
compañía, company, companionship
complacer, to satisfy, please
complacido, pleased, with pleasure
componer, to mend; put together, fix, compose
comprender, to understand
comprobante, proving, verifying, in proof
comprometido, agreed upon
concebir, to conceive
conceder, to yield, grant
conciencia, conscience
concluir, to conclude, end
concurrir, to agree, coöperate
concha, shell
confesar, to confess
confianza, confidence
confiar, to trust, entrust
confundir, to throw into disorder, bewilder
conque, and so, so
conquista, conquest
consagrar, to devote, consecrate, dedicate
conseguir, to win, obtain, achieve, carry through
consentir, to consent, allow
conserje, janitor, keeper
conservar, to preserve, maintain
consiguiente, obvious, logical
consumar, to accomplish, consummate
de consuno, jointly, in agreement
contado, counted; **al —,** cash
contar, to count; to tell, relate
contemplar, to contemplate, look at
contener, to contain; **—se,** to restrain *or* control oneself
contestar, to answer
contiguo, adjacent, adjoining
contorno, outline, shape
contra, against; **en —,** opposing, on the opposite side

contradictorio, opposed, denying
contrición, contrition
controversia, dispute, argument, controversy
convencer, to convince
convenir, to suit, be fitting, agree; **— en,** to agree
convidar, to invite
convite, *m.*, invitation; feast, party
copa, cup
copa, foliage
corazón, *m.*, heart
cordera, ewe-lamb
cordura, prudence, good sense, sound mind
coro, chorus, choir
correr, to run; to prevail, be current
corriente, current; ready for use, fit to stand, completed
cortador, butcher
corte, *f.*, court
cortés, courteous, polite
cosa, thing; **— hecha,** all done; **¡ Qué cosas tenéis !** What ideas you have! How you do talk!
costumbre, *f.*, manner, habit, custom
cotejar, to compare (documents, etc.)
crecer, to increase
criada, maid, servant
criatura, creature, human being
criar, to rear
crisparse, to twitch
Cristo, Christ; **Válgame —,** Lord help me!
cruz, *f.*, cross
cruzar, to cross, run through (with a sword)
cuadrar, to fit, suit, please
cuadro, picture; stage decoration, set
cual, *advb.*, as, like
¿ cuál ? Which? **a — más,** vieing with one another, equally
cualquier, whatever, any at all, some sort of
cualquiera, anyone, anybody at all
¿ cuán ? How?
cuanto, as much as, all that; **unos —s,** a few, a number of
cuarto, fourth; quarter
cuarto, room
cuatro, four; a few, several
cuba, vat, wine-vat
cubierto, covered
cubierto, place at table
cubrir, to cover; **—se,** to cover oneself, put on one's hat
cuchitril, pig-sty
cuenta, account; affair
cuento, story, tale
cuerdo, sensible, prudent, with sound judgment
cuerpo, body; **¡ — de tal!** By the gods! Zounds!
cuestión, dispute, argument
cuidado, care, anxiety, worry; **— que está,** it surely is
cuidadoso, careful, painstaking
culebra, snake
culpa, fault, blame
cumplir, to fulfill; to keep one's word, perform a promise; to be up, fall due; **—se,** to be fulfilled
cuna, cradle
curioso, curious; *as noun*, onlooker, bystander
cuyo, whose; which

Ch

chanza, jest, joke
charla, chat; **meter —,** to chat, engage in conversation
chasco, disappointment; **llevarse —,** to be disappointed
che (*Ital.*), = **qué, que**
¡ Chis ! ¡ Chist ! Shh! Hush!
chispa, spark
¡ Chito ! Hush!
chocar, to surprise
chusco, droll *or* merry fellow, joker
chusma, rabble, mob

D

dañar, to damage, hurt
daño, damage, hurt
dar, to give; to strike; — **a,** to open on, face; — **en,** to hit upon, come upon; — **en tierra con,** to dash to the ground, destroy; — **por,** to give up as, consider; — **sobre,** to hit upon, land in *or* on; — **consigo en,** to land in, betake oneself to; — **con,** to come upon, hit upon, meet; — **a temer a,** to cause to be feared by
deber, to owe; ought, must, to be forced
decidido, resolved, ready
decisivo, determined, final
decoración, decoration, stage set
decoro, decorum
dejar, to leave, abandon; to let, allow; —**se de,** to let alone; — **de,** to cease to, fail to
delante, before, in front
delatar, to expose, inform upon
delirar, to rave, be delirious
delito, crime
demás, other, rest; **por** —, uselessly, needlessly, superfluously
demonio, demon, devil
demostrar, to show, demonstrate
dentro, within; off-stage
denuesto, insult, affront
derecho, straight; straight ahead
derramar, to shed, scatter, sprinkle, diffuse
en derredor, around, about
desafío, challenge, duel
desairar, to slight
desalmado, heartless
desamparado, abandoned, deserted, helpless
desaparecer, to disappear
desasosiego, uneasiness, unrest
desatentado, disordered, acting in an absurd manner
desatinado, wild, mad, crazy
desatino, folly, madness
descargar, to unload, unburden
descolorido, pale
desconocido, unknown, stranger
descubrir, to uncover, reveal; —**se,** to be uncovered, to reveal oneself; to remove one's hat
descuidar, to neglect; to be free from care, trust
desde, from, since
desdichado, unfortunate, sorry
desechar, to cast aside
desenfreno, unbridled action *or* passion
desenvainar, to unsheathe
desesperado, desperate, in despair
desfallecer, to faint
desgarrar, to claw, tear
desgraciarse, to turn out ill
deshacer, to undo, destroy
desheredar, to disinherit
desierto, desert
desmán, *m.*, misfortune, calamity; wicked behavior
desmayarse, to faint
desocupado, unoccupied, idle
desolado, abandoned, desolate
despachar, to dispatch, make haste
despacho, dispatch; settlement
despedida, farewell
despedirse, to take leave
despejo, briskness, smartness
desperdiciar, to waste, throw aside
despertar, to awaken
desposorio, betrothal
despreciar, to scorn, despise
desprecio, scorn
desprender, to emit, give off; —**se,** to be given off, to fall
desprendido, emanating (from); uttered (by)
despuntar, to break
destino, fate, fortune, destiny; profession, occupation
destreza, skill

desvanecerse, to vanish
desvanecido, fainting
desvarío, derangement of mind, giddiness, delirium
desvelo, wakefulness, sleepless zeal
desventura, unhappiness
detener, to stop, hold
detrás, behind; **por —,** from the rear, at one's back
devaneo, giddiness, mad caprice
devastador, devastating, wasting
diablillo, a little devil, scamp, rascal
diablo, devil; **— familiar,** familiar spirit
diáfano, diafanous, transparent, unsubstantial
dicha, fortune, good luck
dicho, said; aforesaid, same; **lo —,** what I have said stands
dichoso, happy, fortunate, happy
diestro, skilful
difunto, deceased
dignarse, to condescend
digno, worthy
dilación, delay, postponement
dilatar, to postpone
dintel, *m.*, threshold
dirigir, to direct
discurso, speech
disfraz, *m.*, disguise
disfrutar, to enjoy
dispensar, to bestow; to excuse
disponer, to arrange, prepare; **—se,** to prepare
dispuesto (*p.p.* **disponer**), arranged, disposed, ready
distraerse, to muse, occupy one's mind
distraído, distraught, absent-minded
divertir, to amuse, beguile
¿ dó ? *and* **do,** *archaic for* **¿ dónde ?** *and* **donde**
dobla, dobla, a gold coin
doblar, to double; to fold; to turn; to toll (a bell)
doler, to be painful, hurt
doliente, doleful, pained, suffering
dolor, *m.*, hurt, pain, grief
doméstico, domestic, home
doncel, young man, young nobleman
doncella, maiden, girl
dondequiera, wherever, anywhere at all, everywhere
doquier, doquiera, wherever, anywhere; **por —,** everywhere
dorar, to gild, cover with gold; **me dora el pico,** covers my mouth with gold, puts gold in my mouth
dormido, sleeping, asleep; **mal —,** hardly asleep, restless
dudar, to doubt, to hesitate
dudoso, doubtful
due (*Ital.*), = **dos**
dueña, lady; duenna
dueño, owner, master
dulce, sweet, gentle
dunque (*Ital.*), then
duradero, lasting, enduring
durante, during
durar, to last, endure
duro, hard, harsh
duro, dollar (five pesetas)

E

e, and
¡ Ea ! *Interj.*, Up there, Hep! Come!
Eccellenza (*Ital.*), = **Excelencia,** Your Excellency
echar, to cast, throw, hurl, sow; **— al suelo,** to knock down; **— a juego,** to jeopardize; **— a,** to begin; **— (de) menos,** to miss
Edén, *m.*, (Garden of) Eden, Paradise
editor, publisher
efecto, effect; **venir a —,** to be accomplished *or* realized
efectuarse, to be performed *or* fulfilled
efigie, *f.*, image
ejecutar, to execute
ejemplo, example

ejercer, to exercise
ejército, army
elección, choice
elevado, raised
embalsamar, to perfume
sin embargo, nevertheless
embellecer, to beautify
embozado, muffled in a cloak, with a cloak up to the eyes
empeñado, insistent, violently engaged
empeñarse, to be set upon, insist
empeño, insistence, strenuous effort, enterprise
emperador, emperor
empezar, to begin
empleo, employment, duty
emponzoñar, to poison
emporio, emporium, market
emprender, to undertake
empresa, enterprise, undertaking, design, intended achievement
enajenamiento, rapture, trance
enajenar, to drive mad, make beside oneself
enamorar, to win the love of
encadenar, to chain
encajar, to attribute, fix upon
encanto, charm, spell
encararse con, to face, confront
encarcelado, incarcerated, in jail
encargar, to charge, entrust
encargo, order, commission
encender, to light, kindle
encendido, lighted, kindled; flaming, heightened
encerrar, to lock in, inclose, shut
encima, above, on top
encomendar, to entrust, commission; **dejar encomendado,** to commission
encontrado, opposing, conflicting
encontrar, to find, meet; **—se,** to find oneself, be
encubierto, covered, concealed; *as noun,* person in disguise, masked person
enderezar, to straighten; to direct
endiablado, devilish
enfermar, to fall ill
enfrente, facing, opposite
engañar, to deceive; **—se,** to be deceived, mistaken
engaño, deception, mistake; trick
engendrar, to beget, engender
enhorabuena, and good luck to you
enjaulado, caged
enlace, *m.*, union, marriage
enlodar, to befoul, tread in the mud
enloquecer(se), to go mad
enmascarado, masked
enojo, annoyance, vexation, anger
enojoso, annoying, vexatious
enramada, branches, leafy bower
enredar, to sow discord, to play pranks
enredo, trick, intrigue
enseñar, to show, teach
entendedor, understanding; **el menos —,** the slowest witted
entender, to understand; **— de,** to know all about, be expert in
entero, entire, whole; **tener el alma entera,** to have a stout heart
enterrar, to bury
entierro, funeral, funeral procession
entrada, entrance
entrambos, — a dos, both
entrar, to enter; **— en la cuenta,** to count; **—se,** to enter
entre, between, amid, among; **entre — y —,** half — and half —
entregar, to deliver, give over
entretener, to beguile, entertain
entretenido, busied, absorbed
entrevista, interview
envenenar, to poison
enverjado, grating, grill
enviar, to send
envidiar, to envy
envite, *m.*, opening (properly, in a game of cards)
envuelto (*p. p.* **envolver**), wrapped

erizarse, to stand on end
errar, to miss; to be mistaken
escala, scale, gamut
escalar, to scale, climb over the walls of, break into
escalera, stairs
escándalo, uproar, tumult, confusion, to-do
escaparse, to flee, escape
escarnecer, to scoff at, ridicule
escena, scene; stage
escenario, stage
escénico, scenic, of the stage; **juego —**, action
esclavitud, slavery
esclavo, slave
escocer, to scorch, irritate, pain
esconder, to hide
escote, *m.*, scot, share of expense at a feast, etc.; **jugamos a — la vida**, we are playing with life as the stakes
escribano, notary, clerk of a court
escuchar, to listen (to), hear
escultor, sculptor
escultura, sculpture, statue
escurrir, to scatter
esgrimir, to fence; to wield
esmerarse, to take pains, do one's best
esotro, this *or* that other
espacio, space, scope, time
espada, sword
espadachín, bully, hackster, ruffian
espantar, to frighten
espantoso, frightful
españolismo, Hispanism, quality of being essentially Spanish
especie, *f.*, sort, kind
espectador, spectator
espectro, specter, ghost
espejo, mirror
esperanza, hope
esperar, to hope; to wait; **— en**, to hope in, have confidence in, expect; **para mejor —**, to have a better hope (i.e., of Heaven)
espeso, thick
esposa, betrothed, bride
esposo, betrothed, husband
esqueleto, skeleton
esquina, corner
esquivo, diffident, shy, cold
estafar, to defraud
estallar, to break out
estancia, room, apartment, dwelling
estar, to be, to stand; to be present; **— para**, to be about to; **— en**, to agree to, be ready to; **estamos**, we are agreed, that is it
estatua, statue
estimar, to esteem, value
estocada, stab, thrust, rapier thrust
estorbar, to hinder
estorbo, hindrance
estrago, havoc, ruin, disaster
estrechez, narrowness; austerity; poverty
estrecho, narrow, close
estrella, star
estrellar, to addle; to dash to bits
estremecer, to tremble; to cause to tremble
estremecido, trembling, fluttering
estribar, to be supported, be based, be dependent, be the difficulty
estropicio, crash, uproar
evadirse, to escape
evaporarse, to vanish, disappear
exaltación, exaltation, transport, excitement
excelsitud, loftiness, sublimity
exceso, excess, exaggeration
excusado, useless
excusar, to avoid; **—se**, to avoid, get out of
exigir, to demand
extrañar, to wonder at, be surprised at
extraño, strange, foreign; **lo al hecho —**, that which is beside the point
extremado, extraordinary, noteworthy, superlative, excellent

F

fa (*Ital.*), = **hace**
fabricar, to fabricate, contrive
facile (*Ital.*), = **fácil**
Falerno, Falerno, a district near Rome; Falernian (a wine whose merits were frequently sung by Horace)
faltar, to lack, be wanting; to fail to come, miss
fallar, to fail, go wrong; lack, be lacking, be absent
fallido, frustrated, disappointed
fama, reputation, fame
fanatizar, to drive wild, craze
fantasma, *m.*, phantom, specter, ghost; *f.*, bugaboo, bugbear
farsa, farce, trick, deception
fascinar, to fascinate, bewitch, daze
fatídico, fateful, boding ill, gloomy
faz, *f.*, face
fe, *f.*, faith, confidence, trust, word, promise; **a — que,** I declare, I swear
febril, feverish
fecha, date
feo, ugly
feriar, to fête; to make a present to
festín, *m.*, banquet, festivity
fiar, to entrust; to trust, go bond for; **—se,** to trust, be satisfied
ficción, pretence
fiebre, *f.*, fever
fiel, faithful
fiel, *m.*, needle, marker (of a balance); **en —,** even, equal
fiera, wild beast
fiero, fierce, cruel
fiesta, festival, celebration, party; holiday
figurarse, to imagine
fijar, to fix; to affix, fasten
filtrar, to penetrate, seep into
filtro, philter, potion
fin, *m.*, end
fingido, pretended, false, illusory
fingir, to feign, pretend
finura, delicacy, refinement
firma, signature
firmar, to sign, affix one's signature
Flandes, *m.*, Flanders
florecido, flowering, blossoming, flowery
fogoso, fiery
fondo, back, bottom, background; **a —,** through and through, thoroughly
forastero, stranger, foreigner
forjar, to forge, fabricate, invent
formalizarse, to grow formal, be serious
fortaleza, strength, vigor
fortuna, fortune; **tener a —,** to consider as good fortune
fosa, grave
fraile, friar
franco, free, open; open hearted
franquear, to make free *or* open, open
frenesí, *m.*, frenzy, madness
freno, bridle
frente, *f.*, forehead
frente (a), facing, opposite
frescura, cool, freshness
frontispicio, front, frontispiece; **ser todo —,** to be all on the surface, nothing but show
fruto, fruit; result
fuego, fire
a fuer de, in the guise of, like, as
fuera, outside, without
fuero, right, privilege
fuerte, strong, violent, mighty
fuerza, strength, might; necessity; **a — de,** by dint of; **ser —,** to be necessary, inevitable
fugaz, fleeting
fulgor, *m.*, light, gleam, splendor
fundador, founder
furor, *m.*, rage, fury

G

gacela, gazelle
galán, gallant, wooer, lover
galanteo, flirtation, gallant affair
galopo, rogue, rascal
gallardo, gallant, high-spirited, dashing
ganar, to win, reach
Gante, Ghent, city in Flanders (Belgium)
garboso, comely, elegant
garganta, throat
garza, heron
gastar, to spend; to show
gasto, expense; **hacer —,** to cause expense
gato, cat; **tener — encerrado,** to have a trick up one's sleeve, have a concealed plan
generoso, high-born, magnanimous, honorable, generous
Génova, Genoa
gente, *f.*, people; servants, retainers
gentil, noble; gallant, spirited; lovely
germinador, germinating, productive, life-giving
gesto, aspect, appearance, face
già (*Ital.*), = **ya**
gigante, gigantic, enormous
Ginés, Genesius
gobernar, to govern, rule
golpe, *m.*, blow, knock
gozar, to enjoy
gracia, grace, favor, charm; **hacer gracia,** to please, charm, (often ironical); **—s,** thanks
grandeza, grandeur, greatness, grand style
gritar, to shout, cry
grueso, heavy, stout
Guadalquivir, *m.*, name of river in southern Spain, on which Seville is situated
guardapiés, *m.*, petticoat
guardar, to keep; **—se,** to beware, be on guard
guarismo, figure, amount
guirnalda, garland, festoon
gustar, to please, be pleasing
gusto, taste, good taste; pleasure

H

haber, to have; *used impersonally with obj.*, to be; *used of time reckoned backwards, e.g.*, **tiempo ha,** some time ago; **— a manos,** to get hold of
habitación, room
hacer, to make, do; **—lo,** to act, conduct oneself; **— mucho en,** to take much stock in
hacia, toward
hacienda, property; affairs
hachón, *m.*, torch
halagar, to soothe, caress; to flatter
hallar, to find; **—se,** to be found, be (present)
harapo, rag
harto, very much, great; very, quite
hasta, up to, until; even
hazaña, achievement, accomplishment, feat
he, lo, behold; **— nos aquí,** here we are; **— aquí que,** and lo, and so
hecho, (*p.p.* **hacer**), done, made, turned into; **es cosa hecha,** (it is) agreed, settled; **— a,** accustomed to, made for
hecho, fact, deed, matter, upshot
hembra, female, woman
heredar, to inherit
herencia, inheritance
herir, to strike, wound
hermoso, beautiful, lovely, handsome
hermosear, to beautify
hermosura, beauty
hidalgo, esquire, nobleman, Sir; *as adj.*, noble
hidalguía, nobility
hiel, *f.*, gall, bitterness
hierro, iron, iron bar

hincarse, to bow, kneel
historia, history, story
hò (*Ital.*), = **he, I have . . .**
hoguera, blaze, bonfire
hoja, leaf, petal
holgura, enjoyment, ease
homilia, homily, sermon
hondo, deep
honra, honor
honradez, sense of honor, honesty, integrity
hora, hour, time of day; **idos en mal . . . ,** begone (and bad luck to you); **a la — de ésta,** at this time
horario, Book of Hours, prayerbook
horizonte, *m.*, horizon
horrendo, dreadful
hostelero, landlord, host
hostería, tavern, inn, " pub "
huella, track, step, footprint
huerta, garden, orchard
huerto, garden
hueso, bone
huésped, guest
huir, to flee
humedecer, to moisten
humillar, to humble
humo, smoke
humor, *m.*, humor, mood; **seguirle el — a uno,** to chime in with one's mood, to humor one
hundir, to plunge, whelm, sink; **—se,** to sink, pass away

I

ídem (*Latin*), the same
idolotrar, to idolize, worship, adore
ignorar, to be ignorant of, not to know
igual, equal, the same
il (*Ital.*), = **el**
ilusorio, deceptive, illusory
imagen, *f.*, image
imán, *m.*, lodestone, magnet; compass
impacientarse, to grow impatient, vexed
imparato (*Ital.*), learned
impedir, to hinder, prevent
impertinente, intrusive, meddlesome
importar, to matter, be important; to concern; **—se,** to matter
importuno, unseasonable, importune
imprevisión, lack of foresight, carelessness, unguardedness
de improviso, suddenly, unexpectedly
imputar, to attribute
inaudito, unheard of
incendio, fire
incentivo, allurement, inducement, spur
incierto, uncertain, unsure
increíble, unbelievable
indagar, to investigate, ascertain
infamar, to defame; **—se,** to debase oneself
infame, infamous, vile
infante, prince of the royal blood
infeliz, unfortunate; *as noun,* poor fellow
inferirse, to infer; to be inferred
infiel, faithless
infierno, Hell
inflamar, to fan into flame, inflame
inmolar, to sacrifice
inmóvil, motionless
inmutado, changed; with changed countenance *or* expression; excited
inquieto, disturbed, anxious
inquietud, anxiety, disquietude
insensato, mad, insensate
insensible, imperceptible
insigne, renowned, famous
intemperie, *f.*, inclemency, rough weather
intentar, to intend; to endeavor
interesar, to interest, concern, be of importance
interno, internal, within
ir, to go; to be at stake, be the stakes; **—se,** to go, go away; **— bien a,**

to go well with, be best for; **poco irá,** there will be little difference; **vaya,** *used in exclamations,* all right; what a; Gracious; go on; **vaya sí,** I should say; **vamos,** *used in exclamations,* come, come now; **¿ Quién va ?** Who is there?
ira, anger, wrath, fury
irritar, to annoy, vex

J

jardín, *m.*, garden
jarro, jug, pitcher
jaula, cage
Jerez, town not far from Seville; Sherry
jerónimo, Hieronymite, of the Order of St. Jerome
Jesucristo, Jesus Christ; *as an exclamation, about equivalent to* Good Lord!
jornada, day, day's work
juego, game, sport, jeopardy; movement; — **escénico,** action
jugador, gambler
juicio, judgment, good sense
juntar, to join, unite; **—se,** to gather, meet
junto, together; **por —,** all together, entire
jurar, to swear; to swear allegiance to (as)
justicia, justice; officers of justice
justiciero, justice-dealing
justo, just, fair; **en lo —,** right, fair
juventud, youth
juzgar, to judge

L

labio, lip
labrar, to carve
Lacryma = Lachryma Christi, a choice Italian wine
lado, side
ladrón, thief, robber
lamer, to lick
lance, *m.*, affair, occurrence
lápida, stone, slab
largarse, to go off, depart
largo, long
lascia (*Ital.*), = **deja,** lay aside, stop
lavar, to wash, wash out
leal, loyal, faithful; fair
lebrel, *m.*, greyhound
lecho, couch, bed
lectura, reading
legua, league (about 20,000 feet)
lejano, distant, far away
lejos, far (off); **a lo —,** in the distance
lengua, tongue, language
lenguaraz, long-tongued; braggart
lento, slow
levantar, to raise; **—se,** to rise, get up
libertinaje, *m.*, libertinism
licor, *m.*, liquor, spirits
lid, *f.*, struggle, fighting, strife
ligero, light, slight; swift
limpiar, to clean, clean up
limpio, clean, pure; fair
linaje, *m.*, lineage, family
lindo, pretty, lovely
lingua (*Ital.*), = **lengua**
lirio, lily
listo, ready; quick, clever
liviandad, wantonness
liviano, light, unsubstantial; wanton
locura, madness
lograr, to win, obtain
lomo, back
losa, stone, slab
Lucifer, Lucifer, prince of the fallen angels
lucha, struggle, contest
luego, then, soon, presently, immediately; **hasta —,** I'll see you again soon, goodbye for a short time
lugar, *m.*, place; **tener —,** to take place
lujo, luxury

Ll

llama, flame, fire
llamar, to call; to knock
llave, *f.*, key
llegar, to arrive; **—se** to come up, approach
llenar, to fill, satisfy
lleno, full
llevar, to carry, bear, take; **—se** to carry *or* take off, take away; **nueve os llevo,** I am ahead of you by nine
llorar, to weep, cry
llorón, *m.*, weeping willow

M

ma (*Ital.*), = **mas, pero**
mal, *m.*, evil, harm; hurt; wickedness
mal, badly; hardly; **estar — (con),** to be at outs (with)
maldito, accursed, confounded; not a bit
malgastar, to waste
malhumorado, ill-tempered
malicia, malice, trickiness
malvado, wicked, perverse, criminal
mancebo, young man
manco, one-armed, maimed
mancha, spot, stain
manchar, to spot, stain
mandar, to send; to order, command
manecilla, little hand; clasp (of a book, etc.)
manera, manner, way; **de — que,** so that, in such a way that; **de ninguna —,** by no means, not at all: **a — de,** like a
maniatar, to manacle, shackle
manjar, *m.*, food, viand
manojo, bunch
mansión, abode, habitation
manso, tame, gentle
mantel, *m.*, tablecloth
mantener, to maintain, support
maña, skill, craftiness
mar, *m.*, sea
maravillar, to amaze
marcharse, to leave, go away
mareíllo, slight spell of giddiness
mareo, seasickness, dizziness
marido, husband
mariposa, butterfly
mármol, *m.*, marble
más, more, most; **no —,** no more, and nothing else; **no — que,** only; **a cual —,** vieing with one another, equally; **ser de —,** to be superfluous; **nada —,** nothing more, only
máscara, mask; masked person
matadero, slaughter-house
matador, murderer
matar, to kill
materia, matter, affair
mayor, greater, greatest
mecer, to rock, sway
medida, measure
medio, half
medio, middle, midst; means
meditar, to meditate, consider
medrar, to thrive, grow (larger); **—se,** to thrive, prosper
menearse, to move, wiggle
menester (*invariable in form*), necessary
menguado, unfortunate, wretched; *as noun*, rascal, wretch
menguar, to wane, to diminish
menos, less, least; except
mensaje, *m.*, message
mente, *f.*, mind
mentido, false, deceptive
mentir, to lie
mercader, shop-keeper
merced, *f.*, grace, favor
merecer, to deserve, merit
mesa, table
mesmo, *archaic for* **mismo**
meter, to put, place, set; **—se,** to place oneself, get (into), plunge (into), engage

mezquino, petty, mean
Micheletto (*Ital. dimin.*), Michael
miedo, fear
mientra, mientras, while; meanwhile
millar, *m.*, thousand
mirar, to look (at), consider; **mal mirado**, with a bad reputation, frowned upon
miserable, wretched; *as noun*, wretch, base person
misericordia, mercy
mitad, half; midst
modo, way, manner; **de — que**, so, to such an extent
mofarse, to mock, make sport
molestar, to disturb
molido, ground; bruised, battered
moneda, coin
monja, nun
monstruo, monster, portent
morador, dweller, inhabitant
morar, to dwell
mortaja, shroud
mortuorio, mortuary, death-
mosto, must, raw wine
mostrar, to show
mover, to move, shake
moza, girl; *as adj.*, young
mozo, lad, young man
mueble, *m.*, (piece of) furniture; *pl.*, furniture, furnishings
muerte, *f.*, death; **dar — a**, to kill
muerto, dead; **— al nacer**, still-born
muestra, sign, sample
muralla, wall
murmurar, to gossip, speak evil
muro, wall
músicas, musicians

N

nacer, to be born
Nápoles, Naples
nardo, nard, spikenard
necesitar, to need
necio, silly, foolish
negar, to refuse; to deny; **—se**, to refuse, oppose
negro, black; wretched, unfavorable
ni, neither, nor; not even
nicho, niche
nido, nest
ninguno, none, no one
niñez, childhood
nobleza, nobility
noticia, news
notorio, well-known
novicia, novice
nuevo, new; **de —**, again, anew
nulo, null, void
numerar, to number, enumerate

O

obedecer, to obey
obispo, bishop
obrar, to work; to act, to lead a life
ocasión, occasion; danger
ocultamente, secretly, in hiding
ocultar, to hide
ocurrencia, idea
ocurrir, to occur; **—se**, to occur
odiar, to hate
oficio, trade, service, office; **de —**, professional
ofrecer, to offer; **—se**, to be offered, present oneself (itself); **¿ qué se ofrece ?** what can I do for you ?
oído, ear, hearing
oír, to hear
olivar, *m.*, olive grove, olive tree
olor, *m.*, odor, scent
olvidar, to forget; **se me olvidó**, I forgot
olvido, forgetfulness, oversight
opinar, to think
oponer, to oppose; **—se a**, to oppose
oportuno, opportune, timely
opuesto, opposite; opposing
opulento, wealthy, opulent
oratorio, oratory, place for prayer
orbe, *m.*, world, globe
orden, *m.*, order
ordenar, to arrange, set in order
orgullo, pride

orientar, to orient, guide
orilla, bank, shore
osadía, daring, rashness
osado, daring, rash
osamenta, bones, skeleton
osar, to dare, dare to touch
oscilar, to swing to and fro
oscuro, dark
otorgar, to grant

P

pabellón, *m.*, pavilion, tent; ruffled hanging
padecer, to suffer
padron(e) (*Ital.*), master
pagado, paid; pleased, delighted
pagar, to pay (for), repay, return (a visit)
paisano, countryman, fellow-countryman
paje, page
palidez, paleness, pallor
palo, stick, blow with a stick
paloma, dove
panteón, *m.*, pantheon
papel, *m.*, paper; part, rôle; **hacer un —,** to play a part
papelito, little paper *or* note
par, equal, peer; **al —,** equally, as well
par, *m.*, pair, couple
parar, to stop; **—se,** to stop; **— en,** to end in, come to; **ir a —,** to reach
¡ pardiez ! egad ! confound it all !
parecer, to appear; *as noun,* opinion
parecido, like, resembling, a true likeness
pared, *f.*, wall
parte, *f.*, part; **en todas —s,** everywhere
partida, game, match
partido, game, match, contest
partir, to divide, cleave, split; to depart, leave
pasar, to pass, happen, transpire, occur; to let pass, take; **— de,** to go beyond, exceed; **—se,** to pass off
Pascua, church festivity, usually = **Pascua de Resurrección,** Easter; Christmas; Pentecost
pasmar, to amaze, astound
paso, pass; pace, step; affair; **de —,** passable, good; **al —,** in passing, as one passes; **salir del —,** to get out of a difficulty; **dejar —,** to give place to, reveal
pastel, *m.*, pastry; pasty, pie
patrón, master
patrulla, patrol
pausa, pause
pavor, *m.*, fear, terror
paz, *f.*, peace
pecho, breast; heart
pedazo, piece, bit
pedir, to ask (for), request
pelo, hair
pendencia, quarrel, affray
pender, to hang; to depend
pendiente, pending, unsettled; **— de,** hanging upon
penitencia, penance
penitencial, penitential
pensamiento, mind, thought; intention
pensar, to think; to intend
peña, stone, rock, cliff
peor, worse, worst
perder, to lose; to waste; to ruin, destroy; **—se,** to be lost; to ruin oneself
perdido, lost, abandoned, in disorder, wandering
perdición, perdition, destruction
perentorio, peremptory, pressing, absolute
perla, pearl
permanecer, to remain
pero, but; **poner un —,** to find a fault, make an objection
perseguir, to pursue
personaje, person, *dramatis persona*

perspectiva, perspective, vista
pertenecer, to belong
pertinaz, obstinate
pesado, heavy; disagreeable; **pesada es la broma**, the joke has gone too far
pesadumbre, *f.*, sorrow, grief
pesar, to weigh, be heavy; to cause sorrow, e.g., **me pesa**, I am sorry
pesar, heaviness; sorrow; **a — de**, in spite of
pesca, catch, haul of fish; **brava —**, a fine rascal, a cunning knave
pescador, fisherman
pescar, to fish
pese a, in spite of
pez, *m.*, fish
piadoso, pious; pitying; pitiful
pico, bill, beak; mouth; **dorar el —**, to put gold in one's mouth
pie, *m.*, foot; **en —**, on, in progress; **al — de**, beneath
piedad, pity
piedra, stone
piel, *f.*, skin; life
pieza, piece; room
pintar, to paint; to depict
pintura, painting; depiction, description
pisada, footstep, footfall
pista, trail
pistola, pistol
pistoletazo, pistol shot
più (*Ital.*), more, most
placer, *m.*, pleasure
placer, to please
planta, foot
plantón, sentry; **dar un (algún) —**, to put off coming, be late
plática, conversation, discourse
plato, plate, dish
plaza, square
plazo, appointed time, term, limit
plegar, to fold
pleito, pact, agreement; lawsuit
plenitud, fulness
pliego, fold; note
pluguiera, *impf. subj. of* **placer**
pluma, feather, plume; pen; writer
plumear, to draw lines, scribble
poblar, to people, fill
pobrecilla, poor little girl
poco, little; **— a —**, gradually, slowly
poder, to be able, can, may; **quien puede**, one who has a right to
poder, power; possession, lands
poesía, poetry, poem
poner, to put, place, set, lay; **—se**, to station oneself; to put on
porta (*Ital.*), bring
portarse, to bear oneself, conduct oneself
portento, portent, wonder, miracle
portería, main door, doorway; porter's lodge
porvenir, *m.*, future
en pos (de), in search of, after
posar, to put, rest; **—se**, to perch, rest, be put
postrarse, to fall prostrate, prostrate oneself
postrero, last
postrimero, last
póstumo, posthumous, permanent after death
postura, posture, position
precaver, to guard against
preciar, to esteem
precio, price
precipitado, hasty, hurried
preciso, necessary, inevitable
preguntar, to question, ask
prenda, pledge; token
prender, to seize, arrest
presa, prey
presenciar, to witness, attend
presentar, to present
presidir, to preside over
preso, arrested, caught, prisoner
presto (*Ital.*), quick
pretender, to strive for, seek; to claim

prevenir, to prepare, make ready; to anticipate, forestall
prez, *f.*, honor, glory
priesa (*modern* **prisa**), pressure; haste; **de —**, pressing
prieto, black; compact, stiff
primavera, spring
primero, first; rather; **— que**, before
primo, cousin
princesa, princess
principal, illustrious, noble, important
principio, beginning
prior, prior. *Priors were popularly reputed to lead a very easy and pleasant life*
privación, deprivation; unconsciousness
privar, to deprive
probar, to test
procurar, to try, endeavor
pródigo, prodigal, generous
profanación, profanation
profesar, to profess, to take vows
profesión, profession, taking of vows
prolijo, long-winded, lengthy, with excessive details
pronto, suddenly, soon
propio, own, self; characteristic, suited
proponer, to suggest, propose; **—se**, to plan
propósito, purpose; **a —**, at a suitable time *or* opportunity; fittingly; by the way, speaking of that
protector, protecting
Provincial, Provincial, dignitary of the church or of a religious order who has charge of all religious establishments in a province
provocar, to call out, challenge
prueba, testing, proof
pueblo, people, rabble
puesta, stakes, bet; **en —**, put up as stakes
puesto (*p.p.* **poner**), put, placed; **— en razón**, reasonable, right; **— que**, since, seeing that
puesto, place, post
pulir, to polish
punto, point, place; moment; **a — de**, promptly at, in time for
puntual, exact; on time
puñado, handful
pupila, pupil

Q

quà (*Ital.*), here
que, *conj.*, that; *often about equal to* **porque**, for, because; *and not infrequently best left untranslated*
quedar(se), to stay, remain, be left, be; **— en**, to agree; **por mí no queda**, It will not fail on my account
quejarse, to complain
quemar, to burn
querer, to wish, want; *with persons*, to love
qui (*Ital.*), here
¡ Quià! *interj.*, Not at all! The idea! I should say not!
quilate, *m.*, carat, standard of fineness
quimera, chimera, notion
quimerista, wrangler, brawler
quincena, fortnight
quinta, estate, country place
quitar, to take away, remove
quizá, perhaps

R

ráfaga, puff of wind, gust
raíz, *f.*, root
rajar, to cleave, split, hack
rato, while, time
raya, mark; **hacer —**, to make a mark, achieve celebrity
rayo, ray; flash, thunderbolt; **mal — me parta**, may the accursed lightning strike me, may I be struck by lightning; **¡ Qué mil —s!** What the deuce!
raza, race

razón, *f.*, reason; right; explanation; **tener —,** to have a reason, to be right; **—es,** words, talk
reacio, obstinate, stubborn
real, royal, regal; real
realidad, reality
rebosar, to abound, overflow
recado, materials, outfit
recaer, to fall again; to return
recelar, to fear, dread
recinto, enclosure, (enclosed) place
recio, strong, sturdy, hard
reclamar, to claim, demand
reclamo, call, summons
reclusión, seclusion, withdrawal
recobrar, to recover
recoger, to take, gather, collect; **— la palabra suelta,** to redeem one's plighted word; **—se,** to retire
reconocer, to recognize
recordar, to call to mind, recall, suggest
recorrer, to traverse, run through
recortar, make over, to cut
recuerdo, memory, recollection
rechinar, to creak
red, *f.*, net, netting; snare
redondo, round; **a la redonda,** around
en redor, around, about
reducido, limited, reduced
refrán, *m.*, proverb
regalito, little present, gift
regenerar, to regenerate
regla, rule
reír, to laugh
reja, grill, grating; barred window
relación, account
relatar, to recount, relate
reló, reloj, *m.*, clock; **— de arena,** sand-glass, hour-glass
rellenar, to refill
rematar, to close, end, culminate
remero, rower, oarsman
remitir, to remit; to refer; **—se,** to refer; to submit oneself
remo, oar
rendimiento, submission, devotion
rendir, to win, bring into submission; **—se,** to surrender, submit
renombre, *m.*, renown, reputation
renovar, to renew
reñidor, quarreler, brawler
reñir, to quarrel, fight
reojo: mirar de —, to cast sidelong glances (at)
reparo, hesitation, objection; **poner —s,** to find fault, doubt
repartir, to distribute
de repente, suddenly
repentino, sudden
repetir, to repeat
reponer, to recover
reportarse, to moderate one's feelings, recover one's equanimity
reposar, to rest
reprender, to reprove
representación, showing, playing
representar, to represent, act, act one's part, show one's emotion
reprimir, to repress, check
res, *f.*, beast, cattle
resonar, to resound
respirar, to breathe, breathe freely
resplandor, *m.*, gleam, flash
responder, to answer; **— de,** to answer for, be responsible for
respuesta, reply, answer
resquicio, crack, chink, hole; slight *or* flimsy pretext
restante, remaining
retrato, picture, likeness
revancha, compensation (for loss in gambling), return match
revelar, to reveal, awaken
revolver, to upset, throw into turmoil *or* confusion
revuelto, topsy-turvy, upset
rezar, to pray
rezo, prayer
ribera, shore
ricco (*Ital.*), = **rico**

riesgo, risk
rigidez, severity
rigor, *m.*, strictness, severity, sternness
riña, quarrel, fight, brawl
ripio, filler, word used to fill out a line of poetry; cheville
riqueza, wealth
risueño, smiling, pleasant
robar, to steal, rob
roca, stone, rock, crag
rocín, *m.*, hack, old horse
rocío, dew
rodilla, knee; **de —s**, on one's knees, kneeling
rodear, to surround
rogar, to ask, entreat, pray
romancero, ballad-book, collection of ballads
romper, to break, break into
ronda, night patrol
rondar, to patrol, go around, prowl about
rostro, face, countenance
ruido, noise
ruin, wretched, base
ruiseñor, *m.*, nightingale

S

saber, to know, know how to, be able; to learn; **no sé qué**, I know not what, some or other; **sepamos**, let us know, i.e., tell (me, etc.)
sacar, to draw, pull out; **— de dudas**, to relieve the doubts of; **— con bien**, to get one out of a predicament
saciar, to satisfy; to sate
saco, sack, pillage; **entrar a —**, to pillage
sagrado, sanctuary, sacred place
salida, departure, leaving
salir, to go out, leave, turn out; **¿ qué tal te sale ?** how have you fared, how are things going with you?
salmo, psalm
salmodia, psalmody, chanting of psalms
saltar, to leap
saludar, to salute, greet
salvar, to save
salvo, safe
sangre, *f.*, blood
sangriento, bloody, cruel
santo, holy; saint
Satanás, Satan
satisfacer, to satisfy; to assure, reassure
satisfecho (*p.p.* **satisfacer**), satisfied
se (*Ital.*), = **si**, if
secar, to dry, dry up
seco, dry
secuestro, sequestration; deposit
seductor, seducer
seductor, seductive
seglar, layman
seguir, to follow; to continue, keep on
según, as according as, in proportion as
semblante, *m.*, face
semejante, such (a), similar, like
semilla, seed
sencillez, simplicity
sencillo, simple
sendero, path
sentado, sitting; set down
sentar, to seat; **—se**, to sit (down), be seated
senti (*Ital.*), = **siéntate**
sentido, sense, feeling
sentimiento, feeling; sorrow, grief
sentir, to feel; to perceive, hear
sento (*Ital.*), = **me siento**
seña, signal; mark, description; appearance
señal, *f.*, token; signal
señalar, to point out; to appoint
sepultura, burial; tomb
ser, to be; **— de**, to become of; **sea**, so be it, very well; **—**, *as noun*, being, life

servi (*Ital.*), = **sirve**
servir, to serve; **—se,** to serve oneself; to please be good enough; **—se de,** to employ, make use of
seso, brain(s), senses
sevillano, Sevillan, of Seville
si (*Ital.*), = **se,** *reflexive pronoun*
si, if
sí, yes; **— que,** indeed, surely
signor(e), (*Ital.*), = **señor; al —,** = for you
siguiente, following
silla, chair; saddle
sino, fate
sinrazón, *f.*, injustice
sitiar, to besiege
sitio, spot, place
soberano, sovereign; lofty
soberbio, proud, fine, superb
sobrado, excessive, more than (large) enough
sobrar, to be more than enough, superfluous
sobre, over, on upon
sobrehumano, superhuman
sobremesa, time after a meal; **de —,** just after a meal, after supper
sobrenatural, supernatural
solar, *m.*, ground, spot, site of an ancestral home
soldado, soldier
soledad, solitude, loneliness
soler, to be accustomed
solicitud, eagerness, zeal, solicitude
sólo, only; **tan —,** only, merely
soltar, to let go, let loose, let fly; **— la carcajada,** to burst out laughing
sombra, shade, shadow; ghost; protection; **a su — me voy,** I shall follow in his shadow, let him protect me
sombrío, dark, gloomy
son, *m.*, sound
sonar, to sound
soñar (con), to dream (of)
soplar, to blow; *colloquial,* to snatch away
sor, sister
sorber, to sip, suck
sorprender, to surprise, take by surprise
Sorrento, a city in Italy on the Gulf of Naples; Sorrento wine
sosiego, peace, calm
sospechar, to suspect
sua (*Ital.*), = **su,** your
subir, to go or come up, rise
suceder, to happen; to be the matter
sucinto, brief, succinct
sucumbir, to succumb
sudario, shroud
suelo, ground, floor
suelta, freedom
suelto, loose, released, free, given
sueño, sleep, dream
suerte, *f.*, lot, fate, luck
sujetar, to hold fast, tie, fasten
sujeto, fastened, bound, held tight
suma, sum; whole; **en —,** in short, really
sumar, to sum up, count (up)
sumirse, to be swallowed up, sink, vanish
sumiso, submissive, in submission
sumo, very great, consummate
suntuosidad, sumptuousness
suplicar, to beg
suplicio, torture, torment
suponer, to suppose, presume
suprimir, to omit, discard, suppress
supuesto, supposed, alleged; **por —,** of course; **— que,** seeing that, since
suscribir (subscribir), to subscribe (to), accept
suspendido, suspended, hanging
suspirar, to sigh
suspiro, sigh
sustituir, to substitute, replace
sutil, thin, tenuous
sutileza, thinness, fineness; keenness, skill

T

tachar, to find fault
tajo, slash, cut
tal, such (a); such a thing, so; **¿ qué —?** how?
talante, *m.*, appearance, aspect
talento, talent, ability
tallo, stem
tampoco, neither; *after neg.*, either
tanto, so much; **en — que**, while, as long as
tapado, veiled *or* disguised person
tapar, to stop, gag
tapia, wall
tardar, to delay, be long
tarde, *f.*, afternoon
tasa, measure, limit; **poner a —**, to limit, restrain
tavola (*Ital.*), table
telón, curtain (of a theater)
temblar, to tremble
temer, to fear
temerario, rash
temor, *m.*, fear
tenaz, tenacious, constant
tender, to stretch out
tener, to have, hold; to stop, halt; **—(se) para sí**, to hold, believe; **— razón**, to be right; **— el alma entera**, to have a stout heart; **— que ver (con)**, to have to do (with); **—se**, to stop, hold, restrain oneself
tentación, temptation
tentador, tempting, enticing
tercio, third; **hacer mal —**, to serve ill, do a bad turn
terminante, absolute, unmistakable, final
término, term; **primer —**, front of a stage; " one "; **segundo —**, mid-stage; etc.
terminar, to finish
ternura, affection, tenderness
terquedad, obstinacy
terrenal, earthly
tesorero, treasurer
tesoro, treasure
testificar, to testify, attest
testigo, witness
tiento, circumspection, care
tierno, tender, affectionate, moving
tierra, earth, world
timbre, *m.*, timbre, (crest of a) coat of arms
tino, judgment, good sense
tinta, ink; tint, shade
tirar, to pull, draw, drag
tiro, shot
tocar, to touch; to ring; **— a muerto**, to toll for the dead
todo, all; **del —**, entirely, wholly
tomar, to take
tolerar, to endure, tolerate, brook
topar, to meet with, come upon
topo, mole; blind, sightless
torbellino, whirlwind, cyclone
torcer, to twist, turn
tornar, to turn, turn away
tornera, door-keeper (of a nunnery)
torpe, base, vile; stupid; clumsy
torpeza, baseness; dullness, stupidity
tortura, torture, anguish
toscano (*Ital. or Span.*), Tuscan; Italian
traer, to bring, carry
tragar, to swallow
traición, treason; treachery
trajinar, to move things about, fidget about
trampantojo, trick
trance, *m.*, situation, crisis
tranquilo, calm, peaceful
transparentarse, to be seen (through something else), show
tras, after
trasplantar, to transplant
trasto, utensil, piece of furniture
trastornar, to upset, befuddle
tratar, to treat; to try
trato, negotiation, agreement
a través (de), across, through

traza, looks, appearance; **tener —**, give the impression
tregua, truce
trémulo, tremulous, shaking
trinar, to trill, warble
triste, sad, grieved
triunfar, to triumph
trocarse, to be changed, transformed
tropel, *m.*, crowd
truhán, rascal, scoundrel
Túnez, Tunis
tuo (*Ital.*), = **tu**
tumba, tomb, grave
tumultuoso, tumultuous
turbar, to disturb

U

ufanarse, to be proud, boast
último, last
unir, to unite; to join, add
urna, urn
usar, to use, bear
usarced (*archaic*), Your Grace, you
uso, use, custom

V

vacilar, to hesitate
vacío, empty
vagar, to wander, flit
vago, vague, flitting
vaivén, *m.*, movement, excitement
valer, to avail, help, be powerful, be of use; **válame** *or* **válgame Dios**, Lord help me
valiente, valiant, bold
valor, value; bravery; **dar — a**, to validate, confirm
vanidad, vanity
vano, vain; slight, passing
vaporoso, misty, vague
varear, to knock about; to measure by the yard (**vara**); **varea la plata**, he throws money about with a lavish hand
vario, varied; various; *pl.*, various, several
varón, male, man
vecino, neighboring, nearby
vela, watch, watchfulness; **en —**, **de —**, on guard
velar, to watch, watch over; to sit up late
velero, swift, flying
velo, veil
vencedor, victorious
vencer, to conquer, beat
vender, to sell; to betray
veneno, poison
veneración, veneration
vengador, avenger
vengar, to avenge
venidero, future, to come
venir, to come; **bien venido**, welcome
ventaja, advantage
ventana, window
ventura, good fortune; happiness; **por —**, perchance
venturoso, fortunate, happy
ver, to see; **a —**, = **vamos a —**, let us see; **tener que —**, to have to do (with); **a mi —**, as I see it, in my opinion
verano, summer
de veras, truly
verdadero, true, real
vergel, *m.*, orchard
verja, grating, window (with bars or grating)
verso, verse; poetry
vértigo, dizziness
vez, *f.*, time; **a la —**, at once, at the same time; **otra —**, again; **tal —**, perhaps; **a veces**, sometimes
viajar, to travel
vianda, viand, food
viciar, to vitiate, break
vicio, vice
vida, life; **de mi —**, beloved
vieni (*Ital.*), = **ven**, come
viento, wind

vil, base, vile
villano, churl, base-born person; *adj.*, low, base
vista, sight, view; eyes; **a la —**, in sight, in view
volar, to fly
voluntad, will
volver, to turn, return; to turn around, back; **— a** + *infin.*, to . . . again; **—se**, to turn about, return; **— en sí**, to come to one's senses, recover consciousness
voraz, voracious, all-consuming
votar, to vow, swear
voto, vow, oath
voz, *f.*, voice; rumor, report; **a voces**, aloud
vuelo, flight
vuelta, turn, return; **de —**, back, returned
vulgo, common people, crowd, rabble

Y

ya, now, already; *often best left untranslated;* **— no**, no longer; **Ya** *is sometimes elliptical for* **ya entiendo** *or equivalent expression, and means* I see, I understand
yacer, to lie